초능력 쌤 과
개념 동영상으로
분수를 쉽게! 재미있게!

KB059955

무료 스마트 러닝

선생님과 함께
초등학교 분수 익히기

초등학교 3~6학년에 걸쳐 있는 분수를 38개 개념으로 익힐 수 있습니다. 책을 보면서 선생님의 강의를 함께하면 개념부터 분수의 연산까지 쉽고 빠르게 익힐 수 있습니다.

친절한 설명으로
분수의 개념 이해하기

이해하기 어려운 부분과 실수하기 쉬운 부분을 콕콕 짚는 선생님의 친절한 설명으로 분수의 개념을 쉽게 이해할 수 있습니다.

자세한 설명으로
분수의 연산 익히기

자연수의 연산을 잘하는 학생들도 분수의 연산은 어려워 할 수 있습니다. 선생님의 자세한 설명으로 원리를 이해하고 연산 방법을 익힐 수 있습니다.

초능력 쌤과 키우자, 공부힘!

국어 독해

- 30개의 지문을 글의 종류와 구조에 따라 분석
- 지문 내용과 관련된 어휘와 배경 지식도 탄탄하게 정리

수학 연산

- 연산에 필요한 원리를 쉽고 짧게 설명
- 문제 풀이에 바로 적용할 수 있는 원리 강의

맞춤법+받아쓰기

- 맞춤법의 기본 원리를 이해하기 쉽게 설명
- 맞춤법 문제도 재미있는 풀이 강의로 해결

구구단

- 노래로 재미있게 암기
- 바로 부르기, 거꾸로 부르기를 통해 구구단의 원리 이해

비주얼씽킹 초등 과학

- 과학 개념을 재미있게 그림으로 설명
- 비주얼씽킹 문제로 완벽한 개념 이해

분수

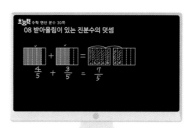

- 분수 개념을 쉽고 친절하게 설명
- 분수의 연산까지 적용할 수 있는 강의

비주얼씽킹 초등 한국사

- 사회 교과서에 맞춘 한국사 개념 강의
- 비주얼씽킹으로 쉽게 이해하는 한국사

급수 한자

- 급수 한자 8급, 7급, 6급 기출문제 완벽 분석
- 혼자서도 한자능력검정시험 완벽 대비

초능력 수학 연산

분수

분수 초등학교에서 이렇게 배웁니다

3 학년

분수의 개념을 이해하고 이름과 친해지기

분수

· 똑같이 나누기

· 분수 알기

· 분수만큼 나타내기

· 단위분수의 크기 비교

· 부분을 분수로 나타내기

· 분수만큼 구하기

· 진분수, 가분수, 대분수 알기

· 대분수를 가분수로 나타내기

· 가분수를 대분수로 나타내기

· 분모가 같은 분수의 크기 비교

4 학년

분모가 같은 분수의 덧셈과 뺄셈에 능숙해지도록 연습하기

분수의 덧셈과 뺄셈

· 분모가 같은 진분수의 덧셈

· 분모가 같은 대분수의 덧셈

· 분모가 같은 진분수의 뺄셈

· 1 − (진분수)

· (자연수) − (대분수)

· 분모가 같은 대분수의 뺄셈

5학년

약분과 통분을 이해하여 분모가 다른 분수의 덧셈, 뺄셈, 곱셈 익히기

- -

약분과 통분

· 크기가 같은 분수

· 약분과 기약분수

· 통분과 공통분모

· 분모가 다른 분수의 크기 비교

분수의 덧셈, 뺄셈, 곱셈

· 분모가 다른 진분수의 덧셈

· 분모가 다른 대분수의 덧셈

· 분모가 다른 진분수의 뺄셈

· 분모가 다른 대분수의 뺄셈

· (분수)×(자연수), (자연수)×(분수)

· 진분수의 곱셈

· 여러 가지 분수의 곱셈

6학년

분수의 나눗셈을 익히고 분수와 소수까지 확장된 수의 개념 이해하기

- -

분수의 나눗셈

· (자연수)÷(자연수)

· (진분수)÷(자연수)

· (대분수)÷(자연수)

· 분모가 같은 분수의 나눗셈

· 분모가 다른 분수의 나눗셈

· (자연수)÷(분수)

· 분수의 나눗셈을 곱셈으로 계산하기

· (분수)÷(분수)

초등 수학에서 분수는 왜 중요할까요?

교과 진도에 따른 장기간의 분수 학습

분수는 초등학교 3학년부터 매 학년 1~3개 단원으로 구성됩니다. 3학년 '분수와 소수'를 시작으로 6학년 '분수의 나눗셈'까지 총 7개 단원으로 구성될 만큼 매우 중요합니다.

학습량
많다

학습 기간
길다

학업 성취도
낮다

초등학교
교고서
분수

초능력 수학 연산 분수는
이런 점이 달라요!

계통에 따른 단기간의 분수 학습

초등학교 3학년부터 6학년까지 배우는 분수의 내용을 이해하기 쉽게 38개 개념으로 정리하여 한 권으로 구성하였습니다. 분수의 중요 개념과 연산 원리를 이해하고 확인하면서 초등학교 분수를 한 번에 끝낼 수 있습니다.

학습량
적다

학습 기간
짧다

학업 성취도
높다

초능력 수학 연산 분수

구성과 활용법 ★

단원별 개념 학습

개념별 2쪽씩 3단계 집중 학습으로 공부합니다.

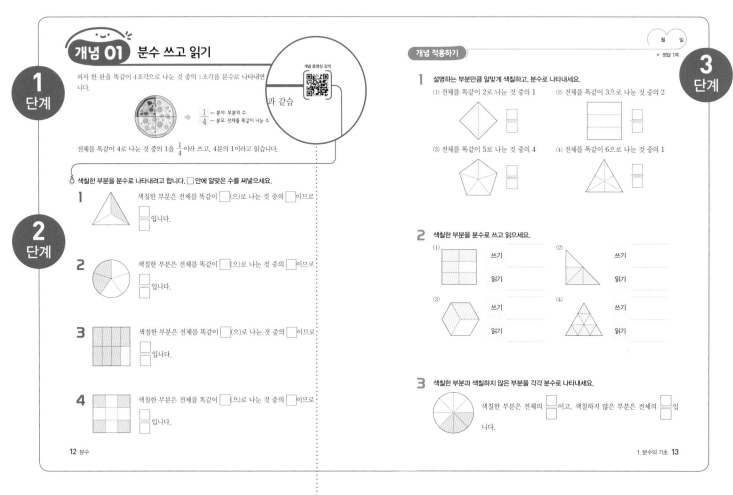

······ 무료 스마트러닝
동영상 강의로 개념을 쉽게 이해할 수 있습니다.

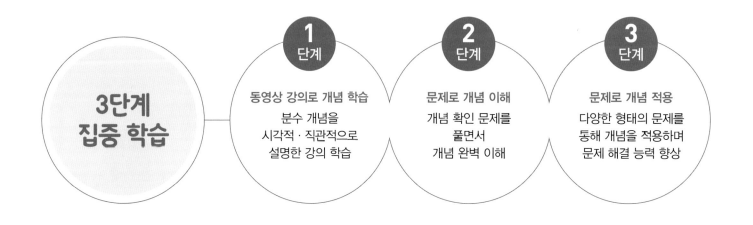

3단계 집중 학습

1단계 동영상 강의로 개념 학습
분수 개념을 시각적·직관적으로 설명한 강의 학습

2단계 문제로 개념 이해
개념 확인 문제를 풀면서 개념 완벽 이해

3단계 문제로 개념 적용
다양한 형태의 문제를 통해 개념을 적용하며 문제 해결 능력 향상

단원별 정리 학습

단원별 개념 학습 후 적용 문제를 풀어 보면서 학습을 마무리합니다.

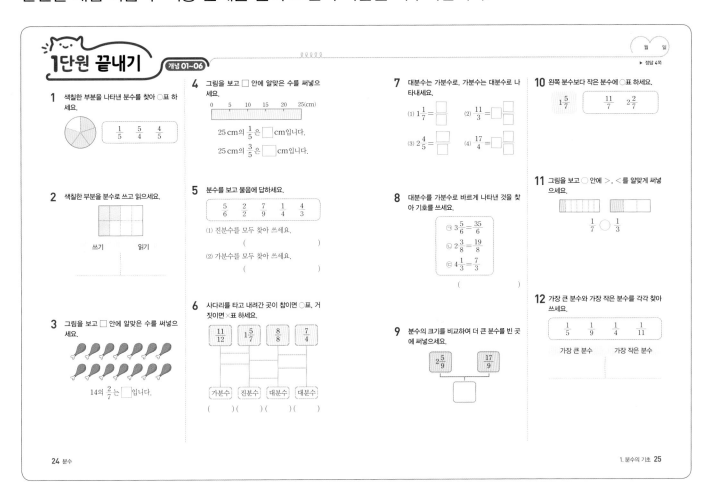

학업 성취도 평가

전 단원 학습 후 학업 성취도 평가 2회분을 풀어 보면서 자신의 학업 성취도를 확인합니다.

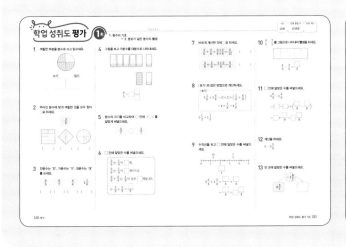

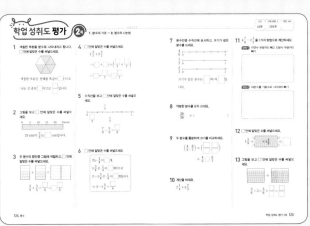

차례

1

분수의 기초

피자 한 판을 똑같이 4조각으로 나눈 것 중의 1조각을 분수로 나타내면 다음과 같습니다.

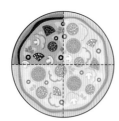

$\dfrac{1}{4}$ ← 분자: 부분의 수
← 분모: 전체를 똑같이 나눈 수

전체를 똑같이 4로 나눈 것 중의 1을 $\dfrac{1}{4}$이라 쓰고, 4분의 1이라고 읽습니다.

색칠한 부분을 분수로 나타내려고 합니다. ☐ 안에 알맞은 수를 써넣으세요.

1 색칠한 부분은 전체를 똑같이 ☐(으)로 나눈 것 중의 ☐이므로 $\dfrac{\square}{\square}$입니다.

2 색칠한 부분은 전체를 똑같이 ☐(으)로 나눈 것 중의 ☐이므로 $\dfrac{\square}{\square}$입니다.

3 색칠한 부분은 전체를 똑같이 ☐(으)로 나눈 것 중의 ☐이므로 $\dfrac{\square}{\square}$입니다.

4 색칠한 부분은 전체를 똑같이 ☐(으)로 나눈 것 중의 ☐이므로 $\dfrac{\square}{\square}$입니다.

개념 적용하기

1 설명하는 부분만큼 알맞게 색칠하고, 분수로 나타내세요.

(1) 전체를 똑같이 2로 나눈 것 중의 1

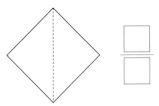

(2) 전체를 똑같이 3으로 나눈 것 중의 2

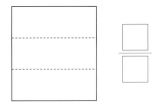

(3) 전체를 똑같이 5로 나눈 것 중의 4

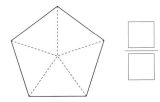

(4) 전체를 똑같이 6으로 나눈 것 중의 1

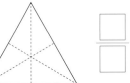

2 색칠한 부분을 분수로 쓰고 읽으세요.

(1)
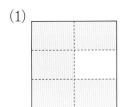

쓰기 _____

읽기 _____

(2)
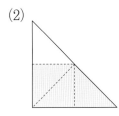

쓰기 _____

읽기 _____

(3)
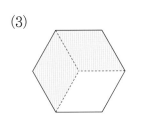

쓰기 _____

읽기 _____

(4)
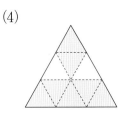

쓰기 _____

읽기 _____

3 색칠한 부분과 색칠하지 않은 부분을 각각 분수로 나타내세요.

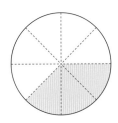

색칠한 부분은 전체의 ▢ 이고, 색칠하지 않은 부분은 전체의 ▢ 입니다.

개념 02 분수만큼 구하기

개념 동영상 강의

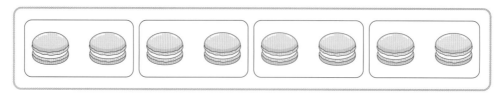

마카롱 8개를 4묶음으로 똑같이 나누면 1묶음은 전체 묶음의 $\frac{1}{4}$입니다.

➡ 8의 $\frac{1}{4}$은 4묶음 중의 1묶음이므로 2입니다. ── 1묶음에는 마카롱이 2개 있습니다.

➡ 8의 $\frac{2}{4}$는 4묶음 중의 2묶음이므로 4입니다. ── 2묶음에는 마카롱이 2×2=4(개) 있습니다.

💡 그림을 보고 □ 안에 알맞은 수를 써넣으세요.

1

10의 $\frac{1}{5}$은 □입니다.

2

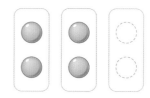

6의 $\frac{2}{3}$는 □입니다.

3

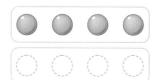

8의 $\frac{1}{2}$은 □입니다.

4

12의 $\frac{3}{4}$은 □입니다.

5

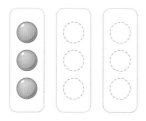

9의 $\frac{1}{3}$은 □입니다.

6

15의 $\frac{2}{5}$는 □입니다.

개념 적용하기

1 그림을 보고 ☐ 안에 알맞은 수를 써넣으세요.

(1)

6의 $\dfrac{1}{2}$은 ☐입니다.

(2)

12의 $\dfrac{2}{3}$는 ☐입니다.

(3)

16의 $\dfrac{1}{2}$은 ☐입니다.

16의 $\dfrac{3}{8}$은 ☐입니다.

(4)

18의 $\dfrac{5}{6}$는 ☐입니다.

18의 $\dfrac{4}{9}$는 ☐입니다.

2 그림을 보고 ☐ 안에 알맞은 수를 써넣으세요.

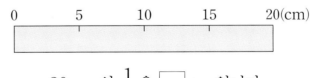

20 cm의 $\dfrac{1}{4}$은 ☐ cm입니다.

20 cm의 $\dfrac{3}{4}$은 ☐ cm입니다.

3 ☐ 안에 알맞은 수를 써넣으세요.

(1) 9의 $\dfrac{2}{3}$는 ☐

(2) 15의 $\dfrac{1}{3}$은 ☐

(3) 14의 $\dfrac{3}{7}$은 ☐

(4) 24의 $\dfrac{5}{6}$는 ☐

(5) 28의 $\dfrac{3}{4}$은 ☐

(6) 35의 $\dfrac{2}{5}$는 ☐

개념 03 진분수, 가분수, 대분수

진분수: 분자가 분모보다 작은 분수

예  $\dfrac{2}{3}$

분수

가분수: 분자가 분모와 같거나 분모보다 큰 분수

예 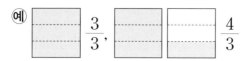 $\dfrac{3}{3},$ $\dfrac{4}{3}$

대분수: 자연수와 진분수로 이루어진 분수

예 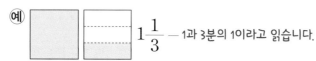 $1\dfrac{1}{3}$ — 1과 3분의 1이라고 읽습니다.

참고 자연수 1은 분모와 분자가 같은 가분수로 나타낼 수 있습니다. ➡ $1=\dfrac{2}{2}=\dfrac{3}{3}=\dfrac{4}{4}=\dfrac{5}{5}$ ......

분수만큼 색칠하고, 알맞은 분수에 ◯표 하세요.

1 $\dfrac{2}{5}$ ➡ (진분수 , 가분수 , 대분수)

2 $\dfrac{6}{6}$ ➡ (진분수 , 가분수 , 대분수)

3 $\dfrac{7}{10}$ ➡ (진분수 , 가분수 , 대분수)

4 $\dfrac{11}{8}$ ➡ (진분수 , 가분수 , 대분수)

5 $1\dfrac{3}{4}$ ➡ (진분수 , 가분수 , 대분수)

개념 적용하기

▶ 정답 2쪽

1 그림을 보고 □ 안에 알맞은 수를 써넣으세요.

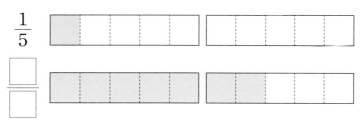

2 진분수는 '진', 가분수는 '가'를 쓰세요.

$$\frac{3}{4} \qquad \frac{7}{7} \qquad \frac{8}{9} \qquad \frac{11}{6} \qquad \frac{3}{2}$$

(   )   (   )   (   )   (   )   (   )

3 보기를 보고 오른쪽 그림을 대분수로 나타내세요.

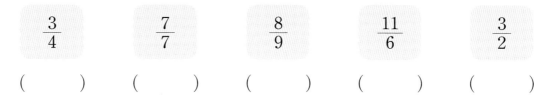

4 가분수는 빨간색, 대분수는 파란색으로 색칠하세요.

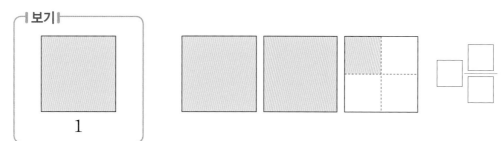

| $\dfrac{9}{9}$ | $2\dfrac{1}{2}$ | $\dfrac{4}{5}$ | $5\dfrac{2}{7}$ | $3\dfrac{5}{6}$ | $1\dfrac{3}{10}$ | $\dfrac{15}{8}$ | $\dfrac{5}{3}$ |

대분수를 가분수로, 가분수를 대분수로 나타내기

• 대분수를 가분수로 나타내기

$$1\frac{3}{4} \;\Rightarrow\; 1과 \frac{3}{4} \;\Rightarrow\; \frac{4}{4}와 \frac{3}{4} \;\Rightarrow\; \frac{1}{4}이\ 7개 \;\Rightarrow\; \frac{7}{4}$$

1을 분모가 4인 가분수로 나타내기

• 가분수를 대분수로 나타내기

$$\frac{7}{4} \;\Rightarrow\; \frac{4}{4}와 \frac{3}{4} \;\Rightarrow\; 1과 \frac{3}{4} \;\Rightarrow\; 1\frac{3}{4}$$

$\frac{4}{4}$ 를 자연수로 나타내기

그림을 보고 대분수는 가분수로, 가분수는 대분수로 나타내세요.

1

$$1\frac{1}{2} = \frac{\square}{\square}$$

2

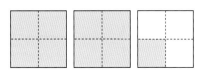

$$2\frac{1}{4} = \frac{\square}{\square}$$

3

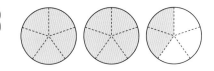

$$2\frac{2}{5} = \frac{\square}{\square}$$

4

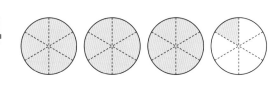

$$3\frac{1}{6} = \frac{\square}{\square}$$

5

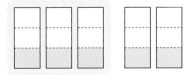

$$\frac{5}{3} = \square\frac{\square}{\square}$$

6

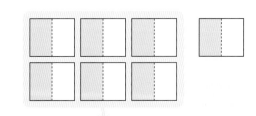

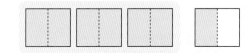

$$\frac{7}{2} = \square\frac{\square}{\square}$$

개념 적용하기

1 주어진 가분수만큼 앞에서부터 차례로 색칠하고, 대분수로 나타내세요.

(1) $\dfrac{9}{4}$

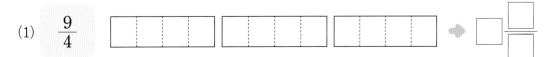

(2) $\dfrac{13}{8}$

(3) $\dfrac{11}{5}$

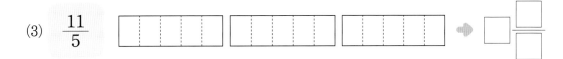

2 대분수는 가분수로, 가분수는 대분수로 나타내세요.

(1) $1\dfrac{2}{7} = \dfrac{\square}{\square}$

(2) $3\dfrac{1}{8} = \dfrac{\square}{\square}$

(3) $4\dfrac{2}{3} = \dfrac{\square}{\square}$

(4) $\dfrac{8}{5} = \square\dfrac{\square}{\square}$

(5) $\dfrac{13}{6} = \square\dfrac{\square}{\square}$

(6) $\dfrac{15}{2} = \square\dfrac{\square}{\square}$

3 대분수를 가분수로, 가분수를 대분수로 나타낸 것을 찾아 이으세요.

$\dfrac{28}{9}$ •

$2\dfrac{4}{9}$ •

$\dfrac{17}{9}$ •

• $\dfrac{22}{9}$

• $1\dfrac{8}{9}$

• $3\dfrac{1}{9}$

개념 05 분모가 같은 분수의 크기 비교

• 분모가 같은 진분수, 가분수의 크기 비교
  분자가 클수록 큰 수입니다.

$$\frac{2}{5} < \frac{3}{5} \qquad \frac{4}{3} < \frac{7}{3}$$

• 분모가 같은 대분수의 크기 비교
  자연수가 클수록 큰 수입니다. 자연수가 같으면 분자가 클수록 큰 수입니다.

$$2\frac{1}{4} > 1\frac{3}{4} \qquad 1\frac{1}{6} < 1\frac{5}{6}$$

• 분모가 같은 가분수와 대분수의 크기 비교
  분수를 모두 가분수 또는 대분수로 나타내어 크기를 비교합니다.

$$3\frac{1}{2}\text{과 }\frac{5}{2}\text{의 비교} \Rightarrow \frac{7}{2} > \frac{5}{2} \qquad 3\frac{1}{2}\text{과 }\frac{5}{2}\text{의 비교} \Rightarrow 3\frac{1}{2} > 2\frac{1}{2}$$

대분수 → 가분수   가분수 → 대분수

그림을 보고 분수의 크기를 비교하여 ○ 안에 >, <를 알맞게 써넣으세요.

1
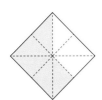 $\frac{5}{8}$ ○ $\frac{3}{8}$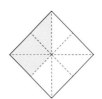

2
 $\frac{5}{4}$ ○ $\frac{7}{4}$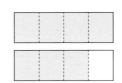

3
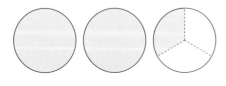 $2\frac{1}{3}$ ○ $1\frac{2}{3}$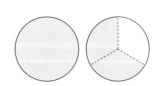

4
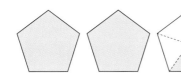 $2\frac{2}{5}$ ○ $2\frac{4}{5}$

개념 적용하기

▶ 정답 3쪽

1 분수의 크기를 비교하여 ◯ 안에 >, < 를 알맞게 써넣고, 알맞은 말에 ◯표 하세요.

(1)
$$\frac{9}{7} \bigcirc \frac{11}{7}$$

분자의 크기를 비교하면 $\frac{9}{7}$ 가 $\frac{11}{7}$ 보다 더 (큽니다 , 작습니다).

(2)
$$2\frac{3}{10} \bigcirc 2\frac{1}{10}$$

자연수 부분이 같으므로 분자의 크기를 비교하면 $2\frac{3}{10}$ 이 $2\frac{1}{10}$ 보다 더 (큽니다 , 작습니다).

(3)
$$1\frac{7}{8} \bigcirc \frac{17}{8}$$

대분수를 가분수로 바꾸어 분자의 크기를 비교하거나 가분수를 대분수로 바꾸어 자연수 부분의 크기를 비교하면 $1\frac{7}{8}$ 이 $\frac{17}{8}$ 보다 더 (큽니다 , 작습니다).

2 분수의 크기를 비교하여 ◯ 안에 >, =, < 를 알맞게 써넣으세요.

(1) $\frac{1}{5} \bigcirc \frac{3}{5}$

(2) $\frac{9}{4} \bigcirc \frac{13}{4}$

(3) $5\frac{1}{6} \bigcirc 3\frac{5}{6}$

(4) $4\frac{2}{3} \bigcirc 4\frac{1}{3}$

(5) $2\frac{2}{9} \bigcirc \frac{20}{9}$

(6) $\frac{19}{12} \bigcirc 1\frac{5}{12}$

3 가장 큰 분수에 ◯표, 가장 작은 분수에 △표 하세요.

(1)
$$\frac{15}{8} \qquad 1\frac{5}{8} \qquad \frac{7}{8} \qquad 2\frac{1}{8}$$

(2)
$$2\frac{1}{5} \qquad \frac{5}{5} \qquad \frac{13}{5} \qquad 1\frac{4}{5}$$

개념 동영상 강의

• 단위분수: 분수 중에서 $\frac{1}{2}$, $\frac{1}{3}$, $\frac{1}{4}$ ⋯⋯과 같이 분자가 1인 분수

• 단위분수의 크기 비교: 분모가 작을수록 큰 수입니다.

$\frac{1}{3} > \frac{1}{5}$

💡 그림을 보고 알맞은 말에 ○표 하세요.

1 $\frac{1}{2}$

$\frac{1}{4}$

$\frac{1}{2}$은 $\frac{1}{4}$보다 더 (큽니다 , 작습니다).

2 $\frac{1}{7}$

$\frac{1}{6}$

$\frac{1}{7}$은 $\frac{1}{6}$보다 더 (큽니다 , 작습니다).

3 $\frac{1}{8}$

$\frac{1}{5}$

$\frac{1}{8}$은 $\frac{1}{5}$보다 더 (큽니다 , 작습니다).

▶ 정답 3쪽

개념 적용하기

1 똑같이 나누어 주어진 분수만큼 색칠하고, ○ 안에 >, <를 알맞게 써넣으세요.

(1) 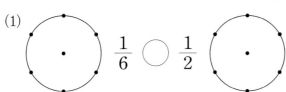 $\dfrac{1}{6}$ ◯ $\dfrac{1}{2}$

(2) 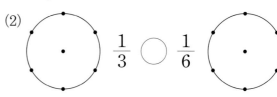 $\dfrac{1}{3}$ ◯ $\dfrac{1}{6}$

(3) 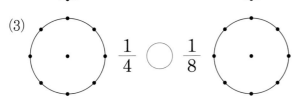 $\dfrac{1}{4}$ ◯ $\dfrac{1}{8}$

(4) 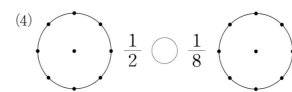 $\dfrac{1}{2}$ ◯ $\dfrac{1}{8}$

2 분수의 크기를 비교하여 ○ 안에 >, <를 알맞게 써넣으세요.

(1) $\dfrac{1}{5}$ ◯ $\dfrac{1}{4}$ 　　　　(2) $\dfrac{1}{3}$ ◯ $\dfrac{1}{2}$

(3) $\dfrac{1}{6}$ ◯ $\dfrac{1}{8}$ 　　　　(4) $\dfrac{1}{9}$ ◯ $\dfrac{1}{7}$

(5) $\dfrac{1}{12}$ ◯ $\dfrac{1}{11}$ 　　　(6) $\dfrac{1}{5}$ ◯ $\dfrac{1}{10}$

3 $\dfrac{1}{7}$ 보다 작은 분수를 모두 찾아 ○표 하세요.

$$\dfrac{1}{4} \qquad \dfrac{1}{8} \qquad \dfrac{1}{5} \qquad \dfrac{1}{15}$$

4 $\dfrac{1}{9}$ 보다 큰 분수를 모두 찾아 ○표 하세요.

$$\dfrac{1}{12} \qquad \dfrac{1}{6} \qquad \dfrac{1}{2} \qquad \dfrac{1}{10}$$

1 색칠한 부분을 나타낸 분수를 찾아 ○표 하세요.

$\dfrac{1}{5}$　　$\dfrac{5}{4}$　　$\dfrac{4}{5}$

2 색칠한 부분을 분수로 쓰고 읽으세요.

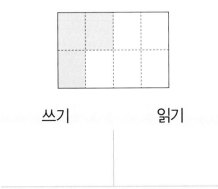

쓰기　　　　읽기

3 그림을 보고 □ 안에 알맞은 수를 써넣으세요.

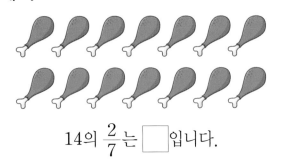

14의 $\dfrac{2}{7}$는 □입니다.

4 그림을 보고 □ 안에 알맞은 수를 써넣으세요.

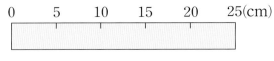

25 cm의 $\dfrac{1}{5}$은 □ cm입니다.

25 cm의 $\dfrac{3}{5}$은 □ cm입니다.

5 분수를 보고 물음에 답하세요.

$\dfrac{5}{6}$　　$\dfrac{2}{2}$　　$\dfrac{7}{9}$　　$\dfrac{1}{4}$　　$\dfrac{4}{3}$

(1) 진분수를 모두 찾아 쓰세요.

(　　　　　　　)

(2) 가분수를 모두 찾아 쓰세요.

(　　　　　　　)

6 사다리를 타고 내려간 곳이 참이면 ○표, 거짓이면 ×표 하세요.

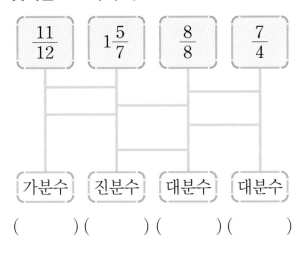

가분수　진분수　대분수　대분수

(　　) (　　) (　　) (　　)

7 대분수는 가분수로, 가분수는 대분수로 나타내세요.

(1) $1\frac{1}{7} = \dfrac{\square}{\square}$ 　　 (2) $\dfrac{11}{3} = \square\dfrac{\square}{\square}$

(3) $2\frac{4}{5} = \dfrac{\square}{\square}$ 　　 (4) $\dfrac{17}{4} = \square\dfrac{\square}{\square}$

8 대분수를 가분수로 바르게 나타낸 것을 찾아 기호를 쓰세요.

㉠ $3\frac{5}{6} = \dfrac{35}{6}$

㉡ $2\frac{3}{8} = \dfrac{19}{8}$

㉢ $4\frac{1}{3} = \dfrac{7}{3}$

(　　　　　　　)

9 분수의 크기를 비교하여 더 큰 분수를 빈 곳에 써넣으세요.

$2\frac{5}{9}$ 　　 $\dfrac{17}{9}$

10 왼쪽 분수보다 작은 분수에 ○표 하세요.

$1\frac{5}{7}$ 　　 $\dfrac{11}{7}$ 　　 $2\frac{2}{7}$

11 그림을 보고 ○ 안에 >, <를 알맞게 써넣으세요.

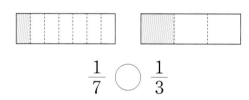

$\dfrac{1}{7} \bigcirc \dfrac{1}{3}$

12 가장 큰 분수와 가장 작은 분수를 각각 찾아 쓰세요.

$\dfrac{1}{5}$ 　　 $\dfrac{1}{9}$ 　　 $\dfrac{1}{4}$ 　　 $\dfrac{1}{11}$

가장 큰 분수 　　　　 가장 작은 분수

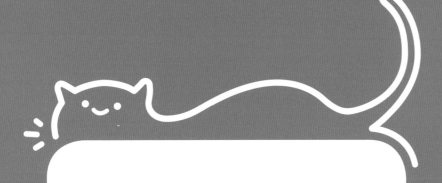

2

분모가 같은 분수의 덧셈

받아올림이 없는 진분수의 덧셈

분모가 같은 진분수의 덧셈은 분모는 그대로 두고 분자끼리 더합니다.

$\frac{1}{4}$이 모두 3개

$$\frac{1}{4} + \frac{2}{4} = \frac{3}{4}$$

💡 두 분수의 합만큼 그림에 색칠하고, ☐ 안에 알맞은 수를 써넣으세요.

1

$$\frac{2}{6}+\frac{3}{6}=\frac{\boxed{}+\boxed{}}{6}=\frac{\boxed{}}{6}$$

2

$$\frac{2}{5}+\frac{1}{5}=\frac{\boxed{}+\boxed{}}{5}=\frac{\boxed{}}{5}$$

3

$$\frac{5}{9}+\frac{2}{9}=\frac{\boxed{}+\boxed{}}{9}=\frac{\boxed{}}{9}$$

개념 적용하기

1 |보기|와 같이 그림으로 나타내어 덧셈을 하세요.

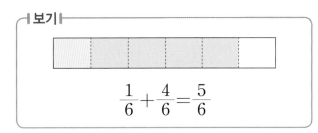

|보기|

$$\frac{1}{6} + \frac{4}{6} = \frac{5}{6}$$

(1)

$$\frac{4}{7} + \frac{1}{7} = \frac{\Box}{\Box}$$

(2)

$$\frac{3}{8} + \frac{4}{8} = \frac{\Box}{\Box}$$

2 □ 안에 알맞은 수를 써넣으세요.

(1)
$\frac{2}{9}$ 는 $\frac{1}{9}$ 이 $\Box$ 개,

$\frac{3}{9}$ 은 $\frac{1}{9}$ 이 $\Box$ 개이므로

$\frac{2}{9} + \frac{3}{9}$ 은 $\frac{1}{9}$ 이 모두 $\Box$ 개입니다.

➡ $\frac{2}{9} + \frac{3}{9} = \frac{\Box}{9}$

(2)
$\frac{5}{11}$ 는 $\frac{1}{11}$ 이 $\Box$ 개,

$\frac{4}{11}$ 는 $\frac{1}{11}$ 이 $\Box$ 개이므로

$\frac{5}{11} + \frac{4}{11}$ 는 $\frac{1}{11}$ 이 모두 $\Box$ 개입니다.

➡ $\frac{5}{11} + \frac{4}{11} = \frac{\Box}{11}$

3 계산을 하세요.

(1) $\frac{1}{3} + \frac{1}{3}$

(2) $\frac{2}{5} + \frac{2}{5}$

(3) $\frac{3}{9} + \frac{4}{9}$

(4) $\frac{1}{7} + \frac{2}{7}$

(5) $\frac{2}{8} + \frac{3}{8}$

(6) $\frac{5}{10} + \frac{2}{10}$

 받아올림이 있는 진분수의 덧셈

개념 동영상 강의

분모가 같은 진분수의 덧셈에서 계산 결과가 가분수이면 대분수로 바꾸어 나타냅니다.

$$\frac{4}{5} + \frac{3}{5} = \frac{7}{5} = 1\frac{2}{5}$$

계산 결과를 대분수로 나타내기

두 분수의 합만큼 그림에 색칠하고, ☐ 안에 알맞은 수를 써넣으세요.

1

$$\frac{2}{4} + \frac{3}{4} = \frac{\boxed{}+\boxed{}}{4} = \frac{\boxed{}}{4} = \boxed{}\frac{\boxed{}}{4}$$

2

$$\frac{4}{6} + \frac{3}{6} = \frac{\boxed{}+\boxed{}}{6} = \frac{\boxed{}}{6} = \boxed{}\frac{\boxed{}}{6}$$

3

$$\frac{4}{8} + \frac{7}{8} = \frac{\boxed{}+\boxed{}}{8} = \frac{\boxed{}}{8} = \boxed{}\frac{\boxed{}}{8}$$

개념 적용하기

▶ 정답 5쪽

1 수직선을 보고 □ 안에 알맞은 수를 써넣으세요.

(1)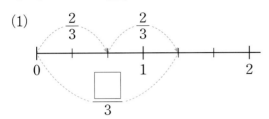

$$\frac{2}{3}+\frac{2}{3}=\frac{\boxed{}}{3}=\boxed{}\frac{\boxed{}}{3}$$

(2)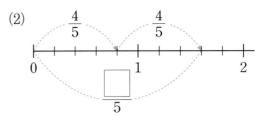

$$\frac{4}{5}+\frac{4}{5}=\frac{\boxed{}}{5}=\boxed{}\frac{\boxed{}}{5}$$

2 □ 안에 알맞은 수를 써넣으세요.

(1) $\dfrac{5}{8}+\dfrac{4}{8}=\dfrac{\boxed{}+\boxed{}}{8}=\dfrac{\boxed{}}{8}=\boxed{}\dfrac{\boxed{}}{8}$

(2) $\dfrac{8}{12}+\dfrac{9}{12}=\dfrac{\boxed{}+\boxed{}}{12}=\dfrac{\boxed{}}{12}=\boxed{}\dfrac{\boxed{}}{12}$

3 계산을 하세요.

(1) $\dfrac{3}{4}+\dfrac{1}{4}$

(2) $\dfrac{5}{7}+\dfrac{4}{7}$

(3) $\dfrac{7}{8}+\dfrac{2}{8}$

(4) $\dfrac{8}{9}+\dfrac{3}{9}$

(5) $\dfrac{2}{6}+\dfrac{5}{6}$

(6) $\dfrac{6}{11}+\dfrac{9}{11}$

4 빈 곳에 알맞은 수를 써넣으세요.

(1)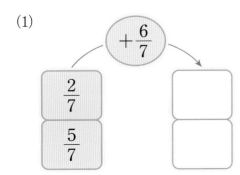

(2)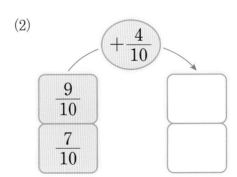

받아올림이 없는 대분수의 덧셈

분모가 같은 대분수의 덧셈은 자연수 부분끼리 더하고 진분수 부분끼리 더합니다.

$$1\frac{1}{4}$$
$$+ \ 2\frac{2}{4}$$

➡ $3\frac{3}{4}$

$$1\frac{1}{4}+2\frac{2}{4}=(1+2)+\left(\frac{1}{4}+\frac{2}{4}\right)=3+\frac{3}{4}=3\frac{3}{4}$$

💡 그림을 보고 □ 안에 알맞은 수를 써넣으세요.

1

$$1\frac{1}{3}$$
$$+ \ 1\frac{1}{3}$$

$$1\frac{1}{3}+1\frac{1}{3}=(\boxed{}+\boxed{})+\left(\frac{\boxed{}}{3}+\frac{\boxed{}}{3}\right)=\boxed{}+\frac{\boxed{}}{3}=\boxed{}\frac{\boxed{}}{3}$$

2

$$2\frac{4}{6}$$
$$+ \ 1\frac{1}{6}$$

$$2\frac{4}{6}+1\frac{1}{6}=(\boxed{}+\boxed{})+\left(\frac{\boxed{}}{6}+\frac{\boxed{}}{6}\right)=\boxed{}+\frac{\boxed{}}{6}=\boxed{}\frac{\boxed{}}{6}$$

개념 적용하기

▶ 정답 6쪽

1 두 분수의 합만큼 그림에 색칠하고, □ 안에 알맞은 수를 써넣으세요.

(1)

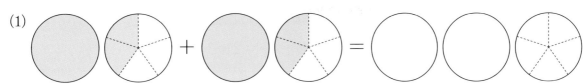

$$1\frac{2}{5}+1\frac{2}{5}=\boxed{}\frac{\boxed{}}{5}$$

(2)

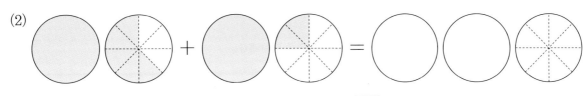

$$1\frac{5}{8}+1\frac{2}{8}=\boxed{}\frac{\boxed{}}{8}$$

2 □ 안에 알맞은 수를 써넣으세요.

(1) $1\frac{3}{9}+3\frac{4}{9}=(\boxed{}+\boxed{})+\left(\dfrac{\boxed{}}{9}+\dfrac{\boxed{}}{9}\right)=\boxed{}+\dfrac{\boxed{}}{9}=\boxed{}\dfrac{\boxed{}}{9}$

(2) $3\frac{2}{8}+2\frac{3}{8}=(\boxed{}+\boxed{})+\left(\dfrac{\boxed{}}{8}+\dfrac{\boxed{}}{8}\right)=\boxed{}+\dfrac{\boxed{}}{8}=\boxed{}\dfrac{\boxed{}}{8}$

(3) $2\frac{6}{10}+1\frac{1}{10}=(\boxed{}+\boxed{})+\left(\dfrac{\boxed{}}{10}+\dfrac{\boxed{}}{10}\right)=\boxed{}+\dfrac{\boxed{}}{10}=\boxed{}\dfrac{\boxed{}}{10}$

3 계산을 하세요.

(1) $4\frac{5}{7}+1\frac{1}{7}$

(2) $3\frac{2}{9}+2\frac{6}{9}$

(3) $3\frac{1}{5}+3\frac{3}{5}$

(4) $3\frac{1}{3}+4\frac{1}{3}$

(5) $2\frac{3}{6}+2\frac{2}{6}$

(6) $1\frac{4}{11}+1\frac{5}{11}$

개념 10 받아올림이 있는 대분수의 덧셈

개념 동영상 강의

분모가 같은 대분수의 덧셈에서 진분수 부분의 합이 가분수이면 다음과 같이 계산합니다.

방법 1 자연수 부분끼리 더하고 진분수 부분끼리 더합니다.

$$1\frac{2}{5}+1\frac{4}{5}=(1+1)+\left(\frac{2}{5}+\frac{4}{5}\right)=2+\frac{6}{5}=2+1\frac{1}{5}=3\frac{1}{5}$$

진분수 부분의 합이 가분수이므로 대분수로 나타내기

방법 2 대분수를 가분수로 나타내어 더합니다.

$$1\frac{2}{5}+1\frac{4}{5}=\frac{7}{5}+\frac{9}{5}=\frac{16}{5}=3\frac{1}{5}$$

대분수 → 가분수   계산 결과를 대분수로 나타내기

그림을 보고 □ 안에 알맞은 수를 써넣으세요.

1

$2\frac{3}{4}$

$+\ 1\frac{2}{4}$

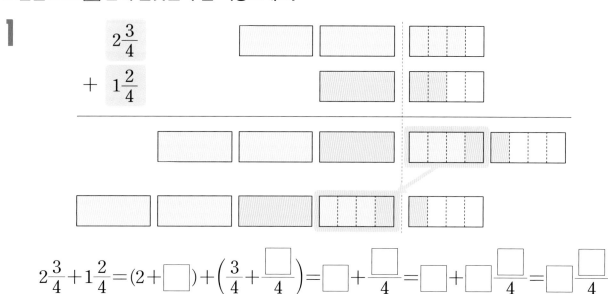

$$2\frac{3}{4}+1\frac{2}{4}=(2+\boxed{})+\left(\frac{3}{4}+\frac{\boxed{}}{4}\right)=\boxed{}+\frac{\boxed{}}{4}=\boxed{}+\boxed{}\frac{\boxed{}}{4}=\boxed{}\frac{\boxed{}}{4}$$

2

$1\frac{2}{3}$ ➡ $\frac{5}{3}$

$+\ 2\frac{2}{3}$ ➡ $\frac{8}{3}$

$$1\frac{2}{3}+2\frac{2}{3}=\frac{\boxed{}}{3}+\frac{\boxed{}}{3}=\frac{\boxed{}}{3}=\boxed{}\frac{\boxed{}}{3}$$

▶ 정답 6쪽

1 수직선을 보고 □ 안에 알맞은 수를 써넣으세요.

(1)
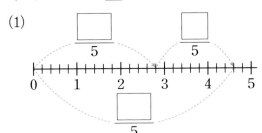

$$2\frac{4}{5}+1\frac{4}{5}=\frac{\boxed{}}{5}+\frac{\boxed{}}{5}$$

$$=\frac{\boxed{}}{5}=\boxed{}\frac{\boxed{}}{5}$$

(2)
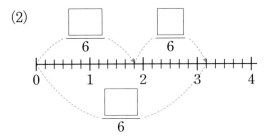

$$1\frac{5}{6}+1\frac{2}{6}=\frac{\boxed{}}{6}+\frac{\boxed{}}{6}$$

$$=\frac{\boxed{}}{6}=\boxed{}\frac{\boxed{}}{6}$$

2 $3\frac{5}{7}+2\frac{3}{7}$ 을 2가지 방법으로 계산하세요.

방법 1 자연수 부분끼리 더하고 진분수 부분끼리 더하기

$$3\frac{5}{7}+2\frac{3}{7}$$

방법 2 대분수를 가분수로 나타내어 더하기

$$3\frac{5}{7}+2\frac{3}{7}$$

3 계산을 하세요.

(1) $1\frac{2}{4}+3\frac{3}{4}$

(2) $2\frac{7}{8}+1\frac{4}{8}$

(3) $3\frac{5}{9}+3\frac{8}{9}$

(4) $4\frac{4}{5}+2\frac{3}{5}$

(5) $5\frac{6}{10}+2\frac{7}{10}$

(6) $2\frac{3}{12}+3\frac{10}{12}$

1 $\dfrac{2}{8} + \dfrac{5}{8}$ 를 그림으로 나타내어 얼마인지 알아보세요.

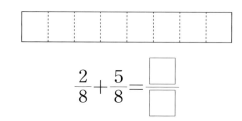

$$\dfrac{2}{8} + \dfrac{5}{8} = \dfrac{\square}{\square}$$

2 계산을 하세요.

(1) $\dfrac{1}{5} + \dfrac{3}{5}$

(2) $\dfrac{3}{7} + \dfrac{3}{7}$

(3) $\dfrac{4}{9} + \dfrac{1}{9}$

3 계산 결과가 다른 하나를 찾아 색칠하세요.

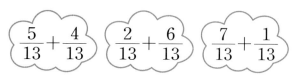

4 수직선을 보고 □ 안에 알맞은 수를 써넣으세요.

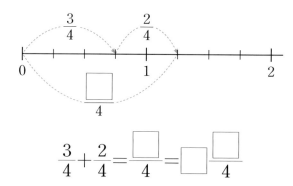

$$\dfrac{3}{4} + \dfrac{2}{4} = \dfrac{\square}{4} = \square\dfrac{\square}{4}$$

5 □ 안에 알맞은 수를 써넣으세요.

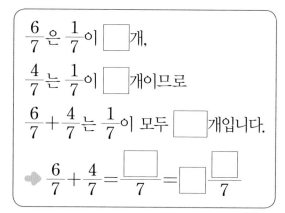

$\dfrac{6}{7}$ 은 $\dfrac{1}{7}$ 이 □개,

$\dfrac{4}{7}$ 는 $\dfrac{1}{7}$ 이 □개이므로

$\dfrac{6}{7} + \dfrac{4}{7}$ 는 $\dfrac{1}{7}$ 이 모두 □개입니다.

➡ $\dfrac{6}{7} + \dfrac{4}{7} = \dfrac{\square}{7} = \square\dfrac{\square}{7}$

6 빈 곳에 알맞은 수를 써넣으세요.

7 그림을 보고 □ 안에 알맞은 수를 써넣으세요.

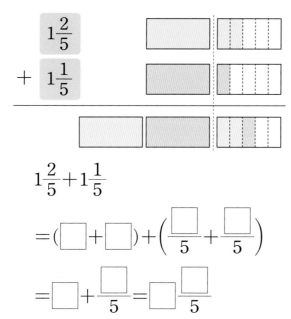

$$1\frac{2}{5}+1\frac{1}{5}$$

$$=\left(\boxed{}+\boxed{}\right)+\left(\frac{\boxed{}}{5}+\frac{\boxed{}}{5}\right)$$

$$=\boxed{}+\frac{\boxed{}}{5}=\boxed{}\frac{\boxed{}}{5}$$

8 두 분수의 합을 구하세요.

$$3\frac{5}{9} \qquad 2\frac{2}{9}$$

(   )

9 크기를 비교하여 ○ 안에 >, =, <를 알맞게 써넣으세요.

$$4\frac{5}{8} \quad \bigcirc \quad 1\frac{2}{8}+3\frac{1}{8}$$

10 $2\frac{3}{6}+1\frac{4}{6}$ 를 2가지 방법으로 계산하려고 합니다. □ 안에 알맞은 수를 써넣으세요.

⑴ $2\dfrac{3}{6}+1\dfrac{4}{6}=(2+\boxed{})+\left(\dfrac{3}{6}+\dfrac{\boxed{}}{6}\right)$

$$=\boxed{}+\frac{\boxed{}}{6}$$

$$=\boxed{}+\boxed{}\frac{\boxed{}}{6}$$

$$=\boxed{}\frac{\boxed{}}{6}$$

⑵ $2\dfrac{3}{6}+1\dfrac{4}{6}=\dfrac{\boxed{}}{6}+\dfrac{\boxed{}}{6}$

$$=\frac{\boxed{}}{6}=\boxed{}\frac{\boxed{}}{6}$$

11 바르게 계산한 것에 ○표 하세요.

$$1\frac{5}{9}+4\frac{6}{9}=5\frac{2}{9} \qquad 3\frac{4}{7}+2\frac{4}{7}=6\frac{1}{7}$$

(   )   (   )

12 계산 결과가 3과 4 사이인 덧셈식을 모두 찾아 ○표 하세요.

$$1\frac{1}{3}+2\frac{1}{3} \qquad 1\frac{5}{7}+2\frac{4}{7} \qquad 1\frac{3}{4}+1\frac{2}{4}$$

3

분모가 같은 분수의 뺄셈

분모가 같은 진분수의 뺄셈은 분모는 그대로 두고 분자끼리 뺍니다.

$\dfrac{1}{5}$이 3개 더 많습니다.

$\dfrac{4}{5}$ | $\dfrac{1}{5}$ | $\dfrac{1}{5}$ | $\dfrac{1}{5}$ | $\dfrac{1}{5}$

$\dfrac{1}{5}$ | $\dfrac{1}{5}$

➡ $\dfrac{4}{5} - \dfrac{1}{5} = \dfrac{3}{5}$

🔖 그림을 보고 ☐ 안에 알맞은 수를 써넣으세요.

1 $\dfrac{2}{3}$

$\dfrac{1}{3}$

➡ $\dfrac{2}{3} - \dfrac{1}{3} = \dfrac{\boxed{}}{3}$

2 $\dfrac{5}{6}$

$\dfrac{4}{6}$

➡ $\dfrac{5}{6} - \dfrac{4}{6} = \dfrac{\boxed{}}{6}$

3 $\dfrac{7}{9}$

$\dfrac{2}{9}$

➡ $\dfrac{7}{9} - \dfrac{2}{9} = \dfrac{\boxed{}}{9}$

4 $\dfrac{6}{8}$

$\dfrac{3}{8}$

➡ $\dfrac{6}{8} - \dfrac{3}{8} = \dfrac{\boxed{}}{8}$

개념 적용하기

▶ 정답 8쪽

1 **|보기|**와 같이 그림으로 나타내어 뺄셈을 하세요.

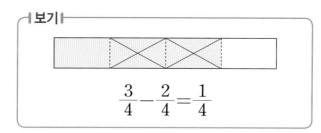

┤보기├

$$\frac{3}{4} - \frac{2}{4} = \frac{1}{4}$$

(1)

$$\frac{5}{7} - \frac{3}{7} = \frac{\square}{\square}$$

(2)

$$\frac{6}{9} - \frac{2}{9} = \frac{\square}{\square}$$

2 □ 안에 알맞은 수를 써넣으세요.

(1) $\frac{4}{8} - \frac{1}{8} = \frac{\square - \square}{8} = \frac{\square}{8}$

(2) $\frac{11}{12} - \frac{4}{12} = \frac{\square - \square}{12} = \frac{\square}{12}$

3 계산을 하세요.

(1) $\frac{2}{4} - \frac{1}{4}$

(2) $\frac{3}{5} - \frac{2}{5}$

(3) $\frac{7}{8} - \frac{2}{8}$

(4) $\frac{8}{9} - \frac{4}{9}$

(5) $\frac{9}{11} - \frac{3}{11}$

(6) $\frac{6}{15} - \frac{2}{15}$

4 □ 안에 알맞은 수를 써넣으세요.

(1)

$\frac{6}{7}$ ➡ $\boxed{-\frac{4}{7}}$ ➡ $\square$

(2)

$\frac{8}{10}$ ➡ $\boxed{-\frac{5}{10}}$ ➡ $\square$

개념 **12** 받아내림이 없는 대분수의 뺄셈

개념 동영상 강의

방법 1 자연수 부분끼리 빼고 진분수 부분끼리 뺍니다.

$$2\frac{4}{7}-1\frac{2}{7}=(2-1)+\left(\frac{4}{7}-\frac{2}{7}\right)=1+\frac{2}{7}=1\frac{2}{7}$$

방법 2 대분수를 가분수로 나타내어 뺍니다.

$$2\frac{4}{7}-1\frac{2}{7}=\frac{18}{7}-\frac{9}{7}=\frac{9}{7}=1\frac{2}{7}$$

대분수 → 가분수   계산 결과를 대분수로 나타내기

그림을 보고 ☐ 안에 알맞은 수를 써넣으세요.

1

   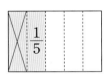

$$3\frac{2}{5}-1\frac{1}{5}=(\boxed{}-\boxed{})+\left(\frac{\boxed{}}{5}-\frac{\boxed{}}{5}\right)=\boxed{}+\frac{\boxed{}}{5}=\boxed{}\frac{\boxed{}}{5}$$

2

   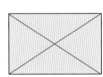 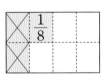

$$4\frac{3}{8}-2\frac{2}{8}=(\boxed{}-\boxed{})+\left(\frac{\boxed{}}{8}-\frac{\boxed{}}{8}\right)=\boxed{}+\frac{\boxed{}}{8}=\boxed{}\frac{\boxed{}}{8}$$

3

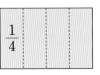 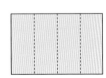 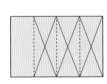 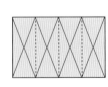 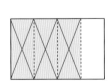

$$4\frac{3}{4}-2\frac{2}{4}=\frac{\boxed{}}{4}-\frac{\boxed{}}{4}=\frac{\boxed{}}{4}=\boxed{}\frac{\boxed{}}{4}$$

개념 적용하기

1 수직선을 보고 ☐ 안에 알맞은 수를 써넣으세요.

(1)
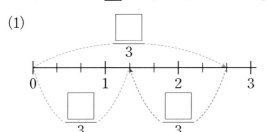

$$2\frac{2}{3} - 1\frac{1}{3} = \frac{\square}{3} - \frac{\square}{3}$$
$$= \frac{\square}{3} = \square\frac{\square}{3}$$

(2)
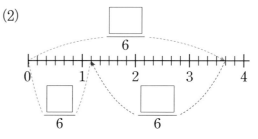

$$3\frac{4}{6} - 2\frac{3}{6} = \frac{\square}{6} - \frac{\square}{6}$$
$$= \frac{\square}{6} = \square\frac{\square}{6}$$

2 $4\frac{4}{5} - 3\frac{2}{5}$ 를 2가지 방법으로 계산하려고 합니다. ☐ 안에 알맞은 수를 써넣으세요.

(1) $4\frac{4}{5} - 3\frac{2}{5} = (\square - \square) + \left(\frac{\square}{5} - \frac{\square}{5}\right) = \square + \frac{\square}{5} = \square\frac{\square}{5}$

(2) $4\frac{4}{5} - 3\frac{2}{5} = \frac{\square}{5} - \frac{\square}{5} = \frac{\square}{5} = \square\frac{\square}{5}$

3 계산을 하세요.

(1) $2\frac{2}{4} - 1\frac{1}{4}$

(2) $5\frac{6}{7} - 2\frac{3}{7}$

(3) $3\frac{5}{8} - 1\frac{4}{8}$

(4) $4\frac{3}{6} - 2\frac{2}{6}$

(5) $6\frac{7}{9} - 4\frac{5}{9}$

(6) $5\frac{11}{12} - 3\frac{6}{12}$

개념 13 (자연수)－(분수)

개념 동영상 강의

방법 1 자연수에서 1만큼을 분수로 바꾸어 자연수 부분끼리 빼고 분수 부분끼리 뺍니다.

$$3-1\frac{1}{3}=2\frac{3}{3}-1\frac{1}{3}=(2-1)+\left(\frac{3}{3}-\frac{1}{3}\right)=1+\frac{2}{3}=1\frac{2}{3}$$

↳ 1만큼을 분수로 바꾸기

방법 2 자연수와 대분수를 모두 가분수로 나타내어 뺍니다.

$$3-1\frac{1}{3}=\frac{9}{3}-\frac{4}{3}=\frac{5}{3}=1\frac{2}{3}$$

↳ 자연수, 대분수 → 가분수   계산 결과를 대분수로 나타내기

🔌 그림을 보고 ☐ 안에 알맞은 수를 써넣으세요.

1

  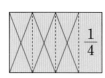

$$3-\frac{3}{4}=\boxed{}\frac{\boxed{}}{4}-\frac{3}{4}=\boxed{}\frac{\boxed{}}{4}$$

2

  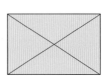 

$$4-1\frac{2}{5}=\boxed{}\frac{\boxed{}}{5}-1\frac{2}{5}=\left(\boxed{}-1\right)+\left(\frac{\boxed{}}{5}-\frac{2}{5}\right)=\boxed{}+\frac{\boxed{}}{5}=\boxed{}\frac{\boxed{}}{5}$$

3

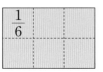  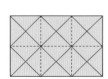 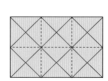 

$$5-3\frac{1}{6}=\frac{\boxed{}}{6}-\frac{\boxed{}}{6}=\frac{\boxed{}}{6}=\boxed{}\frac{\boxed{}}{6}$$

개념 적용하기

1 수직선을 보고 □ 안에 알맞은 수를 써넣으세요.

(1)
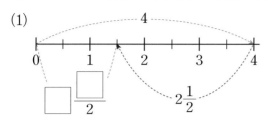

$$4 - 2\frac{1}{2} = \boxed{}\frac{\boxed{}}{2}$$

(2)
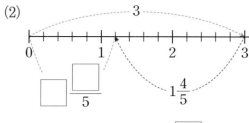

$$3 - 1\frac{4}{5} = \boxed{}\frac{\boxed{}}{5}$$

2 □ 안에 알맞은 수를 써넣으세요.

(1)
2는 $\frac{1}{7}$이 □ 개,

$\frac{4}{7}$는 $\frac{1}{7}$이 □ 개이므로

$2 - \frac{4}{7}$는 $\frac{1}{7}$이 □ 개입니다.

◆ $2 - \frac{4}{7} = \frac{\boxed{}}{7} = \boxed{}\frac{\boxed{}}{7}$

(2)
4는 $\frac{1}{8}$이 □ 개,

$1\frac{3}{8}$은 $\frac{1}{8}$이 □ 개이므로

$4 - 1\frac{3}{8}$은 $\frac{1}{8}$이 □ 개입니다.

◆ $4 - 1\frac{3}{8} = \frac{\boxed{}}{8} = \boxed{}\frac{\boxed{}}{8}$

3 계산을 하세요.

(1) $1 - \frac{1}{6}$

(2) $2 - \frac{3}{4}$

(3) $5 - 2\frac{5}{9}$

(4) $4 - 3\frac{3}{5}$

(5) $6 - 4\frac{7}{10}$

(6) $7 - 1\frac{8}{15}$

4 빈 곳에 알맞은 수를 써넣으세요.

(1)
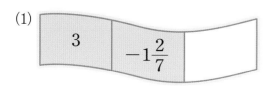

(2)
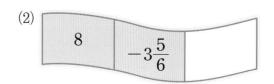

개념 14 받아내림이 있는 대분수의 뺄셈

개념 동영상 강의

분모가 같은 대분수의 뺄셈에서 진분수 부분끼리 뺄 수 없으면 다음과 같이 계산합니다.

방법 1 빼어지는 대분수에서 1만큼을 분수로 바꾸어 자연수 부분끼리 빼고 분수 부분끼리 뺍니다.

$$4\frac{1}{4} - 1\frac{2}{4} = 3\frac{5}{4} - 1\frac{2}{4} = (3-1) + \left(\frac{5}{4} - \frac{2}{4}\right) = 2 + \frac{3}{4} = 2\frac{3}{4}$$

1만큼을 분수로 바꾸기

방법 2 대분수를 가분수로 나타내어 뺍니다.

$$4\frac{1}{4} - 1\frac{2}{4} = \frac{17}{4} - \frac{6}{4} = \frac{11}{4} = 2\frac{3}{4}$$

대분수 → 가분수   계산 결과를 대분수로 나타내기

그림을 보고 $3\frac{2}{5} - 1\frac{4}{5}$가 얼마인지 알아보려고 합니다. ☐ 안에 알맞은 수를 써넣으세요.

1

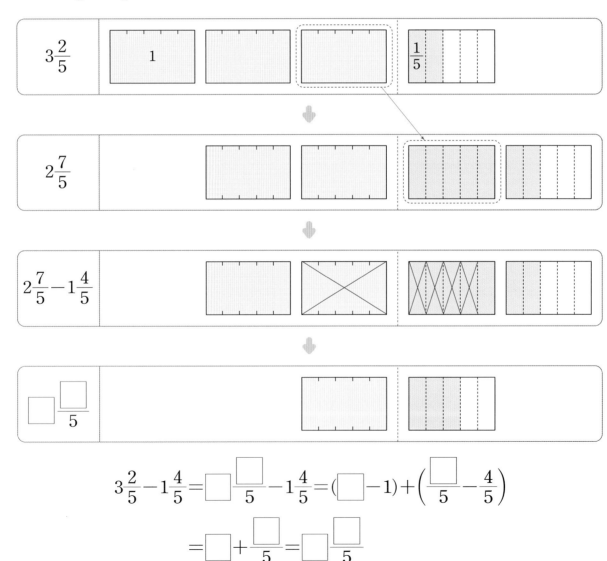

$$3\frac{2}{5} - 1\frac{4}{5} = \boxed{}\frac{\boxed{}}{5} - 1\frac{4}{5} = (\boxed{} - 1) + \left(\frac{\boxed{}}{5} - \frac{4}{5}\right)$$

$$= \boxed{} + \frac{\boxed{}}{5} = \boxed{}\frac{\boxed{}}{5}$$

개념 적용하기

▶ 정답 9쪽

1 색칠한 부분에서 빼는 수만큼 ×표 하고, ☐ 안에 알맞은 수를 써넣으세요.

(1)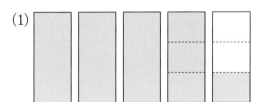

$$4\frac{1}{3} - 2\frac{2}{3} = \boxed{}\frac{\boxed{}}{3}$$

(2)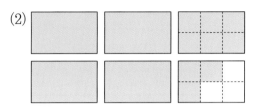

$$5\frac{3}{6} - 1\frac{4}{6} = \boxed{}\frac{\boxed{}}{6}$$

2 $3\frac{4}{7} - 1\frac{6}{7}$ 을 2가지 방법으로 계산하세요.

방법 1 빼어지는 대분수에서 1만큼을 분수로 바꾸어 자연수 부분끼리 빼고 분수 부분끼리 빼기

$$3\frac{4}{7} - 1\frac{6}{7}$$

방법 2 대분수를 가분수로 나타내어 빼기

$$3\frac{4}{7} - 1\frac{6}{7}$$

3 계산을 하세요.

(1) $2\frac{1}{5} - 1\frac{2}{5}$

(2) $4\frac{2}{6} - 1\frac{3}{6}$

(3) $6\frac{3}{7} - 3\frac{5}{7}$

(4) $5\frac{2}{9} - 2\frac{7}{9}$

(5) $8\frac{5}{8} - 4\frac{6}{8}$

(6) $7\frac{1}{10} - 5\frac{4}{10}$

4 빈 곳에 알맞은 수를 써넣으세요.

(1)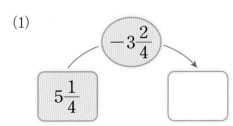

(2)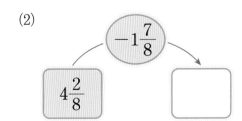

1 수직선을 보고 □ 안에 알맞은 수를 써넣으세요.

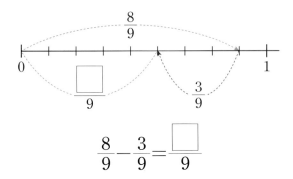

$\dfrac{8}{9}$

0   1

$\dfrac{\square}{9}$ $\dfrac{3}{9}$

$$\dfrac{8}{9} - \dfrac{3}{9} = \dfrac{\square}{9}$$

2 □ 안에 알맞은 수를 써넣으세요.

$\dfrac{5}{7}$ 는 $\dfrac{1}{7}$ 이 □ 개,

$\dfrac{2}{7}$ 는 $\dfrac{1}{7}$ 이 □ 개이므로

$\dfrac{5}{7} - \dfrac{2}{7}$ 는 $\dfrac{1}{7}$ 이 □ 개입니다.

➡ $\dfrac{5}{7} - \dfrac{2}{7} = \dfrac{\square}{7}$

3 계산을 하세요.

(1) $\dfrac{3}{5} - \dfrac{1}{5}$

(2) $\dfrac{4}{6} - \dfrac{3}{6}$

(3) $\dfrac{9}{12} - \dfrac{2}{12}$

4 ▮보기▮와 같은 방법으로 계산하세요.

▮보기▮

$$3\dfrac{2}{4} - 1\dfrac{1}{4} = (3-1) + \left(\dfrac{2}{4} - \dfrac{1}{4}\right)$$
$$= 2 + \dfrac{1}{4} = 2\dfrac{1}{4}$$

$4\dfrac{5}{6} - 1\dfrac{4}{6}$

5 관계있는 것끼리 이으세요.

$5\dfrac{7}{11} - 3\dfrac{4}{11}$ •   • $3\dfrac{3}{11}$

$7\dfrac{4}{11} - 5\dfrac{2}{11}$ •   • $2\dfrac{3}{11}$

$6\dfrac{10}{11} - 3\dfrac{7}{11}$ •   • $2\dfrac{2}{11}$

6 예서는 우유 $2\dfrac{8}{10}$ L 중에서 $1\dfrac{5}{10}$ L를 마셨습니다. 남은 우유는 몇 L일까요?

(   )

7 그림을 보고 □ 안에 알맞은 수를 써넣으세요.

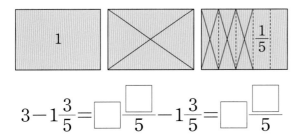

$$3 - 1\frac{3}{5} = \boxed{}\frac{\boxed{}}{5} - 1\frac{3}{5} = \boxed{}\frac{\boxed{}}{5}$$

8 빈 곳에 알맞은 수를 써넣으세요.

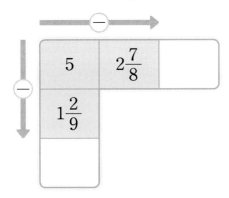

9 계산 결과가 1과 2 사이인 뺄셈식을 모두 찾아 ○표 하세요.

$4 - 1\frac{5}{6}$	$9 - 7\frac{11}{13}$	$6 - 4\frac{5}{7}$

10 $4\frac{2}{4} - 2\frac{3}{4}$ 을 2가지 방법으로 계산하려고 합니다. □ 안에 알맞은 수를 써넣으세요.

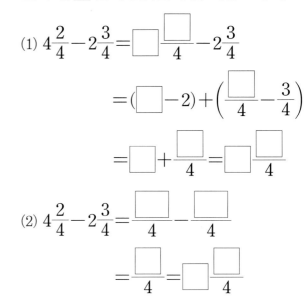

(1) $4\frac{2}{4} - 2\frac{3}{4} = \boxed{}\frac{\boxed{}}{4} - 2\frac{3}{4}$

$= (\boxed{} - 2) + \left(\frac{\boxed{}}{4} - \frac{3}{4}\right)$

$= \boxed{} + \frac{\boxed{}}{4} = \boxed{}\frac{\boxed{}}{4}$

(2) $4\frac{2}{4} - 2\frac{3}{4} = \frac{\boxed{}}{4} - \frac{\boxed{}}{4}$

$= \frac{\boxed{}}{4} = \boxed{}\frac{\boxed{}}{4}$

11 두 종이띠의 길이의 차는 몇 cm일까요?

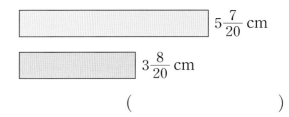

( )

12 크기를 비교하여 ○ 안에 >, =, <를 알맞게 써넣으세요.

$$7\frac{3}{8} - 4\frac{6}{8} \quad \bigcirc \quad 2\frac{5}{8}$$

4

약분과 통분

크기가 같은 분수

개념 동영상 강의

- 분수만큼 색칠했을 때 색칠된 부분의 크기가 같으면 크기가 같은 분수입니다.

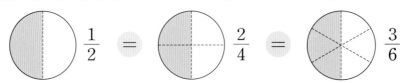

- 크기가 같은 분수 만드는 방법: 분모와 분자에 각각 0이 아닌 같은 수를 곱하거나, 분모와 분자를 각각 0이 아닌 같은 수로 나눕니다.

$$\frac{1}{3}=\frac{1\times 2}{3\times 2}=\frac{1\times 3}{3\times 3}=\frac{1\times 4}{3\times 4}\cdots\cdots \Rightarrow \frac{1}{3}=\frac{2}{6}=\frac{3}{9}=\frac{4}{12}\cdots\cdots$$

$$\frac{6}{24}=\frac{6\div 2}{24\div 2}=\frac{6\div 3}{24\div 3}=\frac{6\div 6}{24\div 6}\Rightarrow \frac{6}{24}=\frac{3}{12}=\frac{2}{8}=\frac{1}{4}$$

그림을 보고 크기가 같은 분수가 되도록 ☐ 안에 알맞은 수를 써넣으세요.

1

$$\frac{1}{4} \quad = \quad \frac{1\times\boxed{}}{4\times\boxed{}} \quad = \quad \frac{1\times\boxed{}}{4\times\boxed{}} \quad = \quad \frac{1\times\boxed{}}{4\times\boxed{}}$$

2

$$\frac{8}{16} \quad = \quad \frac{8\div\boxed{}}{16\div\boxed{}} \quad = \quad \frac{8\div\boxed{}}{16\div\boxed{}} \quad = \quad \frac{8\div\boxed{}}{16\div\boxed{}}$$

3

$$\frac{12}{18} \quad = \quad \frac{12\div\boxed{}}{18\div\boxed{}} \quad = \quad \frac{12\div\boxed{}}{18\div\boxed{}} \quad = \quad \frac{12\div\boxed{}}{18\div\boxed{}}$$

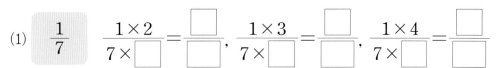

▶ 정답 11쪽

1 크기가 같은 분수를 만들려고 합니다. ☐ 안에 알맞은 수를 써넣으세요.

(1) $\dfrac{1}{7}$ $\dfrac{1 \times 2}{7 \times \boxed{}} = \dfrac{\boxed{}}{\boxed{}}$, $\dfrac{1 \times 3}{7 \times \boxed{}} = \dfrac{\boxed{}}{\boxed{}}$, $\dfrac{1 \times 4}{7 \times \boxed{}} = \dfrac{\boxed{}}{\boxed{}}$

(2) $\dfrac{3}{5}$ $\dfrac{3 \times \boxed{}}{5 \times 2} = \dfrac{\boxed{}}{\boxed{}}$, $\dfrac{3 \times \boxed{}}{5 \times 3} = \dfrac{\boxed{}}{\boxed{}}$, $\dfrac{3 \times \boxed{}}{5 \times 4} = \dfrac{\boxed{}}{\boxed{}}$

(3) $\dfrac{8}{24}$ $\dfrac{8 \div 2}{24 \div \boxed{}} = \dfrac{\boxed{}}{\boxed{}}$, $\dfrac{8 \div 4}{24 \div \boxed{}} = \dfrac{\boxed{}}{\boxed{}}$, $\dfrac{8 \div 8}{24 \div \boxed{}} = \dfrac{\boxed{}}{\boxed{}}$

(4) $\dfrac{20}{30}$ $\dfrac{20 \div \boxed{}}{30 \div 2} = \dfrac{\boxed{}}{\boxed{}}$, $\dfrac{20 \div \boxed{}}{30 \div 5} = \dfrac{\boxed{}}{\boxed{}}$, $\dfrac{20 \div \boxed{}}{30 \div 10} = \dfrac{\boxed{}}{\boxed{}}$

2 크기가 같은 분수를 만들려고 합니다. ☐ 안에 알맞은 수를 써넣으세요.

(1) $\dfrac{5}{6} = \dfrac{\boxed{}}{12} = \dfrac{15}{\boxed{}} = \dfrac{\boxed{}}{24}$

(2) $\dfrac{4}{9} = \dfrac{8}{\boxed{}} = \dfrac{\boxed{}}{27} = \dfrac{16}{\boxed{}}$

(3) $\dfrac{14}{42} = \dfrac{\boxed{}}{21} = \dfrac{2}{\boxed{}} = \dfrac{\boxed{}}{3}$

(4) $\dfrac{12}{36} = \dfrac{6}{\boxed{}} = \dfrac{\boxed{}}{12} = \dfrac{3}{\boxed{}}$

3 크기가 같은 분수를 2개 쓰세요.

(1) $\dfrac{3}{8}$ ➡ (   )

(2) $\dfrac{5}{7}$ ➡ (   )

(3) $\dfrac{16}{48}$ ➡ (   )

(4) $\dfrac{24}{32}$ ➡ (   )

개념 **16** 약분

약분: 분모와 분자를 공약수(1은 제외)로 나누어 간단한 분수로 만드는 것

$$\frac{9}{18}=\frac{9\div9}{18\div9}=\frac{1}{2} \Rightarrow \frac{\overset{1}{9}}{\underset{2}{18}}=\frac{1}{2}$$

9와 18의 공약수 9로 나누기

🔔 분수를 약분하려고 합니다. ☐ 안에 알맞은 수를 써넣으세요.

1 $\dfrac{9}{15}=\dfrac{9\div\square}{15\div 3}=\dfrac{\square}{\square} \Rightarrow \dfrac{\overset{\square}{9}}{\underset{5}{15}}=\dfrac{\square}{\square}$

2 $\dfrac{14}{21}=\dfrac{14\div\square}{21\div 7}=\dfrac{\square}{\square} \Rightarrow \dfrac{\overset{2}{14}}{\underset{\square}{21}}=\dfrac{\square}{\square}$

3 $\dfrac{15}{25}=\dfrac{15\div 5}{25\div\square}=\dfrac{\square}{\square} \Rightarrow \dfrac{\overset{3}{15}}{\underset{\square}{25}}=\dfrac{\square}{\square}$

4 $\dfrac{20}{32}=\dfrac{20\div 2}{32\div\square}=\dfrac{\square}{\square} \Rightarrow \dfrac{\overset{\square}{20}}{\underset{16}{32}}=\dfrac{\square}{\square}$, $\dfrac{20}{32}=\dfrac{20\div 4}{32\div\square}=\dfrac{\square}{\square} \Rightarrow \dfrac{\overset{\square}{20}}{\underset{8}{32}}=\dfrac{\square}{\square}$

5 $\dfrac{27}{45}=\dfrac{27\div 3}{45\div\square}=\dfrac{\square}{\square} \Rightarrow \dfrac{\overset{\square}{27}}{\underset{15}{45}}=\dfrac{\square}{\square}$, $\dfrac{27}{45}=\dfrac{27\div 9}{45\div\square}=\dfrac{\square}{\square} \Rightarrow \dfrac{\overset{\square}{27}}{\underset{5}{45}}=\dfrac{\square}{\square}$

개념 적용하기

1 분수를 약분하려고 합니다. 분모와 분자를 모두 나눌 수 있는 수를 모두 찾아 ○표 하세요.

(1) $\dfrac{4}{16}$ 2   3   4   5   6

(2) $\dfrac{12}{30}$ 2   3   4   5   6

(3) $\dfrac{28}{42}$ 2   3   5   7   8

2 약분한 분수를 모두 쓰려고 합니다. ☐ 안에 알맞은 수를 써넣으세요.

(1) $\dfrac{6}{18}$ ➡ $\dfrac{\square}{9}$, $\dfrac{2}{\square}$, $\dfrac{\square}{3}$

(2) $\dfrac{18}{36}$ ➡ $\dfrac{\square}{18}$, $\dfrac{6}{\square}$, $\dfrac{\square}{6}$, $\dfrac{2}{\square}$, $\dfrac{\square}{\square}$

(3) $\dfrac{24}{60}$ ➡ $\dfrac{\square}{30}$, $\dfrac{8}{\square}$, $\dfrac{\square}{15}$, $\dfrac{4}{\square}$, $\dfrac{\square}{\square}$

3 약분한 분수를 모두 쓰세요.

(1) $\dfrac{8}{12}$ ➡ (   )   (2) $\dfrac{16}{28}$ ➡ (   )

(3) $\dfrac{9}{27}$ ➡ (   )   (4) $\dfrac{40}{56}$ ➡ (   )

개념 17 기약분수

개념 동영상 강의

• 기약분수: 분모와 분자의 공약수가 1뿐인 분수 ― 더 이상 약분이 안 되는 가장 간단한 분수

• 기약분수로 나타내는 방법: 분모와 분자를 최대공약수로 나눕니다.
  └ 공약수 중에서 가장 큰 수

$$\frac{16}{20} \Rightarrow \begin{array}{r} 2)\ 16\ \ 20 \\ 2)\ \ 8\ \ 10 \\ \hline 4\ \ \ 5 \end{array}$$

최대공약수: $2 \times 2 = 4$

$$\Rightarrow \frac{\overset{4}{16}}{\underset{5}{20}} = \frac{4}{5}$$
└ 최대공약수 4로 나누기

기약분수로 나타내려고 합니다. □ 안에 알맞은 수를 써넣으세요.

1 $\frac{24}{28}$ $\Rightarrow$ $\begin{array}{r} 2)\ 24\ \ 28 \\ 2)\ 12\ \ 14 \\ \hline 6\ \ \ 7 \end{array}$ 최대공약수: $2 \times 2 = \boxed{}$ $\Rightarrow$ $\frac{24}{28} = \frac{\boxed{}}{\boxed{}}$

2 $\frac{18}{30}$ $\Rightarrow$ $\begin{array}{r} 2)\ 18\ \ 30 \\ 3)\ \ 9\ \ 15 \\ \hline 3\ \ \ 5 \end{array}$ 최대공약수: $2 \times \boxed{} = \boxed{}$ $\Rightarrow$ $\frac{18}{30} = \frac{\boxed{}}{\boxed{}}$

3 $\frac{36}{81}$ $\Rightarrow$ $\begin{array}{r} 3)\ 36\ \ 81 \\ 3)\ 12\ \ 27 \\ \hline 4\ \ \ 9 \end{array}$ 최대공약수: $3 \times \boxed{} = \boxed{}$ $\Rightarrow$ $\frac{36}{81} = \frac{\boxed{}}{\boxed{}}$

4 $\frac{30}{45}$ $\Rightarrow$ $\begin{array}{r} 3)\ 30\ \ 45 \\ 5)\ 10\ \ 15 \\ \hline 2\ \ \ 3 \end{array}$ 최대공약수: $3 \times \boxed{} = \boxed{}$ $\Rightarrow$ $\frac{30}{45} = \frac{\boxed{}}{\boxed{}}$

개념 적용하기

▶ 정답 12쪽

1 $\dfrac{42}{54}$의 분모와 분자를 공약수로 나누어 약분하려고 합니다. ☐ 안에 알맞은 수를 써넣고, 기약분수에 ○표 하세요.

$$\frac{42}{54}=\frac{42\div 2}{54\div\square}=\frac{\square}{\square} \qquad \frac{42}{54}=\frac{42\div 3}{54\div\square}=\frac{\square}{\square} \qquad \frac{42}{54}=\frac{42\div 6}{54\div\square}=\frac{\square}{\square}$$

$\qquad\qquad$ ($\quad$) $\qquad\qquad\qquad$ ($\quad$) $\qquad\qquad\qquad$ ($\quad$)

2 기약분수로 나타내려고 합니다. ☐ 안에 알맞은 수를 써넣으세요.

(1) $\dfrac{18}{42}=\dfrac{18\div\square}{42\div\square}=\dfrac{\square}{\square}$
$\qquad\qquad$ (2) $\dfrac{27}{36}=\dfrac{27\div\square}{36\div\square}=\dfrac{\square}{\square}$

(3) $\dfrac{60}{84}=\dfrac{60\div\square}{84\div\square}=\dfrac{\square}{\square}$
$\qquad\qquad$ (4) $\dfrac{28}{70}=\dfrac{28\div\square}{70\div\square}=\dfrac{\square}{\square}$

3 기약분수로 나타내세요.

(1) $\dfrac{28}{32}=\dfrac{\square}{\square}$
$\qquad\qquad$ (2) $\dfrac{40}{48}=\dfrac{\square}{\square}$

(3) $\dfrac{50}{60}=\dfrac{\square}{\square}$
$\qquad\qquad$ (4) $\dfrac{30}{75}=\dfrac{\square}{\square}$

4 기약분수를 모두 찾아 ○표 하세요.

$$\frac{15}{21} \qquad \frac{2}{7} \qquad \frac{8}{11} \qquad \frac{27}{51} \qquad \frac{4}{14} \qquad \frac{17}{32}$$

개념 18 통분과 공통분모

개념 동영상 강의

- 통분: 분수의 분모를 같게 하는 것
- 공통분모: 통분한 분모

$$\frac{3}{4} = \frac{6}{8} = \boxed{\frac{9}{12}} = \frac{12}{16} = \frac{15}{20} = \boxed{\frac{18}{24}} = \frac{21}{28} = \frac{24}{32} = \boxed{\frac{27}{36}} \cdots\cdots$$

$$\frac{5}{6} = \boxed{\frac{10}{12}} = \frac{15}{18} = \boxed{\frac{20}{24}} = \frac{25}{30} = \boxed{\frac{30}{36}} \cdots\cdots$$

통분 $\left(\dfrac{3}{4}, \dfrac{5}{6} \right)$ ➡ $\left(\dfrac{9}{12}, \dfrac{10}{12} \right), \left(\dfrac{18}{24}, \dfrac{20}{24} \right), \left(\dfrac{27}{36}, \dfrac{30}{36} \right) \cdots\cdots$

└─ 공통분모 12, 24, 36……은 두 분모 4와 6의 공배수입니다.

그림을 보고 두 분수를 통분하려고 합니다. ☐ 안에 알맞은 수를 써넣으세요.

1 $\dfrac{2}{3}$ ... $\dfrac{\boxed{}}{12}$

$\dfrac{1}{4}$ ... $\dfrac{\boxed{}}{12}$

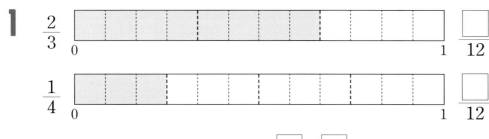

$\left(\dfrac{2}{3}, \dfrac{1}{4} \right)$ ➡ $\left(\dfrac{\boxed{}}{12}, \dfrac{\boxed{}}{12} \right)$

2 $\dfrac{3}{5}$ ... $\dfrac{\boxed{}}{15}$

$\dfrac{1}{3}$ ... $\dfrac{\boxed{}}{15}$

$\left(\dfrac{3}{5}, \dfrac{1}{3} \right)$ ➡ $\left(\dfrac{\boxed{}}{15}, \dfrac{\boxed{}}{15} \right)$

3 $\dfrac{1}{2}$ ... $\dfrac{\boxed{}}{18}$

$\dfrac{7}{9}$ ... $\dfrac{\boxed{}}{18}$

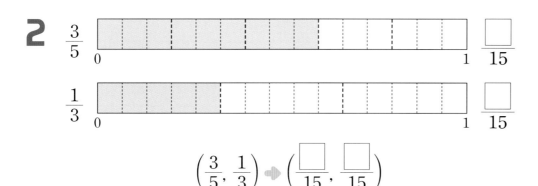

$\left(\dfrac{1}{2}, \dfrac{7}{9} \right)$ ➡ $\left(\dfrac{\boxed{}}{18}, \dfrac{\boxed{}}{18} \right)$

개념 적용하기

▶ 정답 12쪽

1 크기가 같은 분수를 만들어 통분하려고 합니다. ☐ 안에 알맞은 수를 써넣으세요.

$$\frac{3}{8} = \frac{\Box}{16} = \frac{\Box}{24} = \frac{\Box}{32} = \frac{\Box}{40} = \frac{\Box}{48} \cdots\cdots$$

$$\frac{5}{12} = \frac{\Box}{24} = \frac{\Box}{36} = \frac{\Box}{48} = \frac{\Box}{60} = \frac{\Box}{72} \cdots\cdots$$

통분 $\left(\frac{3}{8}, \frac{5}{12} \right) \Rightarrow \left(\frac{\Box}{24}, \frac{\Box}{\Box} \right), \left(\frac{\Box}{48}, \frac{\Box}{\Box} \right) \cdots\cdots$

2 ▨ 안의 수를 공통분모로 하여 통분하려고 합니다. ☐ 안에 알맞은 수를 써넣으세요.

(1) 30 $\left(\frac{2}{5}, \frac{1}{6} \right) \Rightarrow \left(\frac{2 \times \Box}{5 \times \Box}, \frac{1 \times \Box}{6 \times \Box} \right) \Rightarrow \left(\frac{\Box}{30}, \frac{\Box}{30} \right)$

(2) 28 $\left(\frac{3}{4}, \frac{9}{14} \right) \Rightarrow \left(\frac{3 \times \Box}{4 \times \Box}, \frac{9 \times \Box}{14 \times \Box} \right) \Rightarrow \left(\frac{\Box}{28}, \frac{\Box}{28} \right)$

(3) 45 $\left(\frac{7}{9}, \frac{4}{15} \right) \Rightarrow \left(\frac{7 \times \Box}{9 \times \Box}, \frac{4 \times \Box}{15 \times \Box} \right) \Rightarrow \left(\frac{\Box}{45}, \frac{\Box}{45} \right)$

3 두 분수를 주어진 공통분모로 통분하세요.

(1) $\left(\frac{5}{7}, \frac{1}{3} \right) \Rightarrow \left(\frac{\Box}{21}, \frac{\Box}{21} \right)$

(2) $\left(\frac{5}{6}, \frac{2}{9} \right) \Rightarrow \left(\frac{\Box}{18}, \frac{\Box}{18} \right)$

(3) $\left(\frac{4}{5}, \frac{7}{8} \right) \Rightarrow \left(\frac{\Box}{40}, \frac{\Box}{40} \right)$

(4) $\left(\frac{3}{10}, \frac{1}{4} \right) \Rightarrow \left(\frac{\Box}{20}, \frac{\Box}{20} \right)$

방법1 두 분모의 곱을 공통분모로 하여 통분하기 ─ 공통분모를 구하기 쉬운 방법

$$\left(\frac{1}{6}, \frac{5}{9}\right) \Rightarrow \left(\frac{1\times9}{6\times9}, \frac{5\times6}{9\times6}\right) \Rightarrow \left(\frac{9}{54}, \frac{30}{54}\right)$$

└─ 두 분모의 곱: 6×9=54

방법2 두 분모의 최소공배수를 공통분모로 하여 통분하기 ─ 공통분모의 크기가 작아서 계산이 간단한 방법

$$\left(\frac{1}{6}, \frac{5}{9}\right) \Rightarrow \left(\frac{1\times3}{6\times3}, \frac{5\times2}{9\times2}\right) \Rightarrow \left(\frac{3}{18}, \frac{10}{18}\right)$$

└─ 3) 6 9
     2 3

→ 두 분모의 최소공배수: 3×2×3=18

두 분수의 공통분모를 구하려고 합니다. □ 안에 알맞은 수를 써넣으세요.

공통분모: 두 분모의 곱

1 $\left(\frac{1}{4}, \frac{3}{7}\right)$ 공통분모: $4\times7=\boxed{}$

2 $\left(\frac{2}{5}, \frac{2}{3}\right)$ 공통분모: $5\times\boxed{}=\boxed{}$

3 $\left(\frac{3}{11}, \frac{7}{8}\right)$ 공통분모: $\boxed{}\times\boxed{}=\boxed{}$

공통분모: 두 분모의 최소공배수

4 $\left(\frac{5}{6}, \frac{7}{12}\right)$ ⇒
2) 6   12
3) 3   6
   1   2
  공통분모: $2\times3\times1\times2=\boxed{}$

5 $\left(\frac{2}{15}, \frac{4}{9}\right)$ ⇒
3) 15   9
   5   3
  공통분모: $3\times\boxed{}\times\boxed{}=\boxed{}$

개념 적용하기

1 $\dfrac{5}{6}$와 $\dfrac{3}{8}$을 2가지 방법으로 통분하려고 합니다. □ 안에 알맞은 수를 써넣으세요.

방법 1 두 분모의 곱을 공통분모로 하여 통분하기

$$\left(\frac{5}{6},\ \frac{3}{8}\right) \Rightarrow \left(\frac{5\times\square}{6\times\square},\ \frac{3\times\square}{8\times\square}\right) \Rightarrow \left(\frac{\square}{\square},\ \frac{\square}{\square}\right)$$

방법 2 두 분모의 최소공배수를 공통분모로 하여 통분하기

$$\left(\frac{5}{6},\ \frac{3}{8}\right) \Rightarrow \left(\frac{5\times\square}{6\times\square},\ \frac{3\times\square}{8\times\square}\right) \Rightarrow \left(\frac{\square}{\square},\ \frac{\square}{\square}\right)$$

2 두 분모의 곱을 공통분모로 하여 통분하세요.

(1) $\left(\dfrac{1}{2},\ \dfrac{3}{4}\right) \Rightarrow \left(\qquad,\qquad\right)$ (2) $\left(\dfrac{1}{3},\ \dfrac{4}{5}\right) \Rightarrow \left(\qquad,\qquad\right)$

(3) $\left(\dfrac{5}{8},\ \dfrac{5}{7}\right) \Rightarrow \left(\qquad,\qquad\right)$ (4) $\left(\dfrac{7}{9},\ \dfrac{6}{11}\right) \Rightarrow \left(\qquad,\qquad\right)$

(5) $\left(\dfrac{2}{3},\ \dfrac{7}{10}\right) \Rightarrow \left(\qquad,\qquad\right)$ (6) $\left(\dfrac{5}{18},\ \dfrac{2}{5}\right) \Rightarrow \left(\qquad,\qquad\right)$

3 두 분모의 최소공배수를 공통분모로 하여 통분하세요.

(1) $\left(\dfrac{3}{4},\ \dfrac{7}{8}\right) \Rightarrow \left(\qquad,\qquad\right)$ (2) $\left(\dfrac{5}{12},\ \dfrac{2}{3}\right) \Rightarrow \left(\qquad,\qquad\right)$

(3) $\left(\dfrac{4}{9},\ \dfrac{5}{6}\right) \Rightarrow \left(\qquad,\qquad\right)$ (4) $\left(\dfrac{9}{10},\ \dfrac{3}{16}\right) \Rightarrow \left(\qquad,\qquad\right)$

(5) $\left(\dfrac{11}{14},\ \dfrac{4}{21}\right) \Rightarrow \left(\qquad,\qquad\right)$ (6) $\left(\dfrac{7}{20},\ \dfrac{8}{15}\right) \Rightarrow \left(\qquad,\qquad\right)$

분모가 다른 분수의 크기 비교

통분하여 분모를 같게 한 다음 분자의 크기를 비교합니다.

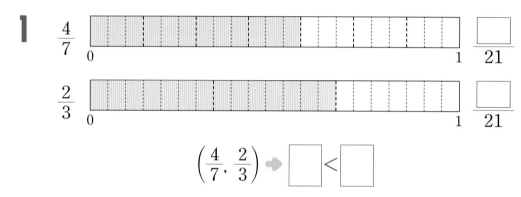

$$\left(\frac{1}{2},\ \frac{3}{4},\ \frac{2}{5}\right) \Rightarrow \frac{2}{5} < \frac{1}{2} < \frac{3}{4}$$

그림을 이용하여 분수의 크기를 비교하려고 합니다. ☐ 안에 알맞은 수를 써넣으세요.

1 $\frac{4}{7}$ $\frac{\Box}{21}$

$\frac{2}{3}$ $\frac{\Box}{21}$

$$\left(\frac{4}{7},\ \frac{2}{3}\right) \Rightarrow \Box < \Box$$

2 $\frac{7}{12}$ $\frac{\Box}{24}$

$\frac{5}{6}$ $\frac{\Box}{24}$

$\frac{5}{8}$ $\frac{\Box}{24}$

$$\left(\frac{7}{12},\ \frac{5}{6},\ \frac{5}{8}\right) \Rightarrow \Box < \Box < \Box$$

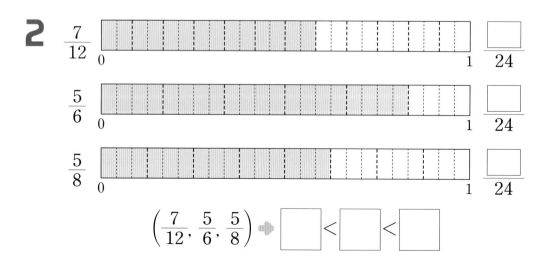

개념 적용하기

▶ 정답 13쪽

1 두 분수를 통분하고, 크기를 비교하여 ◯ 안에 >, =, < 를 알맞게 써넣으세요.

(1) $\left(\dfrac{4}{9}, \dfrac{2}{7}\right)$ ➡ $\left(\dfrac{\Box}{\Box}, \dfrac{\Box}{\Box}\right)$ ➡ $\dfrac{4}{9}$ ◯ $\dfrac{2}{7}$

(2) $\left(\dfrac{1}{5}, \dfrac{2}{15}\right)$ ➡ $\left(\dfrac{\Box}{\Box}, \dfrac{\Box}{\Box}\right)$ ➡ $\dfrac{1}{5}$ ◯ $\dfrac{2}{15}$

(3) $\left(\dfrac{3}{10}, \dfrac{5}{12}\right)$ ➡ $\left(\dfrac{\Box}{\Box}, \dfrac{\Box}{\Box}\right)$ ➡ $\dfrac{3}{10}$ ◯ $\dfrac{5}{12}$

2 분수의 크기를 비교하여 ◯ 안에 >, =, < 를 알맞게 써넣으세요.

(1) $\dfrac{1}{3}$ ◯ $\dfrac{3}{10}$

(2) $\dfrac{1}{6}$ ◯ $\dfrac{2}{9}$

(3) $\dfrac{7}{8}$ ◯ $\dfrac{4}{5}$

(4) $\dfrac{1}{2}$ ◯ $\dfrac{3}{7}$

(5) $\dfrac{3}{14}$ ◯ $\dfrac{5}{21}$

(6) $\dfrac{9}{16}$ ◯ $\dfrac{13}{24}$

3 $\dfrac{3}{4}, \dfrac{5}{8}, \dfrac{13}{20}$ 의 크기를 비교한 다음 큰 분수부터 차례로 쓰세요.

$\left(\dfrac{3}{4}, \dfrac{5}{8}\right)$ ➡ $\left(\dfrac{\Box}{8}, \dfrac{\Box}{8}\right)$ ➡ $\dfrac{3}{4}$ ◯ $\dfrac{5}{8}$

$\left(\dfrac{5}{8}, \dfrac{13}{20}\right)$ ➡ $\left(\dfrac{\Box}{40}, \dfrac{\Box}{\Box}\right)$ ➡ $\dfrac{5}{8}$ ◯ $\dfrac{13}{20}$

$\left(\dfrac{3}{4}, \dfrac{13}{20}\right)$ ➡ $\left(\dfrac{\Box}{20}, \dfrac{\Box}{\Box}\right)$ ➡ $\dfrac{3}{4}$ ◯ $\dfrac{13}{20}$

(,   ,   )

1 분수만큼 빈칸의 아래부터 색칠하고 크기가 같은 분수를 쓰세요.

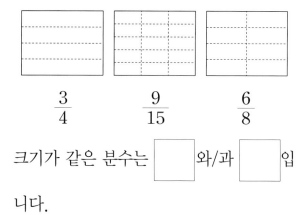

$$\frac{3}{4} \qquad \frac{9}{15} \qquad \frac{6}{8}$$

크기가 같은 분수는 $\boxed{}$ 와/과 $\boxed{}$ 입

니다.

2 ☐ 안에 알맞은 수를 써넣어 크기가 같은 분수를 만드세요.

$$\frac{2}{5} = \frac{2 \times 2}{5 \times \boxed{}} = \frac{2 \times \boxed{}}{5 \times 3} = \frac{2 \times 4}{5 \times \boxed{}}$$

$$\frac{2}{5} = \frac{4}{\boxed{}} = \frac{\boxed{}}{15} = \frac{8}{\boxed{}}$$

3 $\frac{6}{9}$ 과 크기가 같은 분수를 모두 찾아 ○표 하세요.

$$\frac{12}{18} \qquad \frac{9}{12} \qquad \frac{7}{9} \qquad \frac{2}{3} \qquad \frac{3}{4}$$

4 $\frac{16}{24}$ 의 분모와 분자를 공약수로 나누어 약분하려고 합니다. ☐ 안에 알맞은 수를 써넣으세요.

16과 24의 공약수: 1, $\boxed{}$, $\boxed{}$, $\boxed{}$

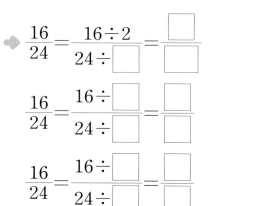

$$\frac{16}{24} = \frac{16 \div 2}{24 \div \boxed{}} = \frac{\boxed{}}{\boxed{}}$$

$$\frac{16}{24} = \frac{16 \div \boxed{}}{24 \div \boxed{}} = \frac{\boxed{}}{\boxed{}}$$

$$\frac{16}{24} = \frac{16 \div \boxed{}}{24 \div \boxed{}} = \frac{\boxed{}}{\boxed{}}$$

5 약분한 분수를 모두 쓰세요.

$$\frac{30}{42} \qquad (\qquad\qquad\qquad)$$

6 기약분수로 나타내려고 합니다. ☐ 안에 알맞은 수를 써넣으세요.

(1) $\frac{28}{36} = \frac{28 \div \boxed{}}{36 \div \boxed{}} = \frac{\boxed{}}{\boxed{}}$

(2) $\frac{45}{54} = \frac{45 \div \boxed{}}{54 \div \boxed{}} = \frac{\boxed{}}{\boxed{}}$

7 ☐ 안에 알맞은 수를 써넣으세요.

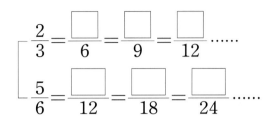

$$\frac{2}{3} = \frac{\square}{6} = \frac{\square}{9} = \frac{\square}{12} \cdots\cdots$$

$$\frac{5}{6} = \frac{\square}{12} = \frac{\square}{18} = \frac{\square}{24} \cdots\cdots$$

두 분수를 분모가 같은 분수끼리 짝 지으면

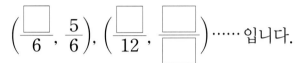

$$\left(\frac{\square}{6}, \frac{5}{6}\right), \left(\frac{\square}{12}, \frac{\square}{\square}\right) \cdots\cdots 입니다.$$

이때 공통분모는 ☐ , ☐ ⋯⋯ 입니다.

8 두 분모의 곱을 공통분모로 하여 통분하세요.

(1) $\left(\dfrac{3}{7}, \dfrac{5}{8}\right)$ ➡ $\left(\qquad , \qquad \right)$

(2) $\left(\dfrac{1}{2}, \dfrac{4}{9}\right)$ ➡ $\left(\qquad , \qquad \right)$

9 두 분모의 최소공배수를 공통분모로 하여 통분하세요.

(1) $\left(\dfrac{3}{4}, \dfrac{7}{12}\right)$ ➡ $\left(\qquad , \qquad \right)$

(2) $\left(\dfrac{9}{10}, \dfrac{3}{8}\right)$ ➡ $\left(\qquad , \qquad \right)$

10 분수의 크기를 비교하여 ◯ 안에 >, =, <를 알맞게 써넣으세요.

(1) $\dfrac{3}{5}$ ◯ $\dfrac{5}{9}$

(2) $\dfrac{1}{6}$ ◯ $\dfrac{4}{15}$

11 $\dfrac{17}{21}, \dfrac{5}{7}, \dfrac{11}{14}$ 의 크기를 비교하려고 합니다. ◯ 안에 >, =, <를 알맞게 쓰고, ☐ 안에 알맞은 수를 써넣으세요.

$$\frac{17}{21} \bigcirc \frac{5}{7}, \frac{5}{7} \bigcirc \frac{11}{14}, \frac{17}{21} \bigcirc \frac{11}{14}$$

➡ $\boxed{} < \boxed{} < \boxed{}$

12 두 분수의 크기를 비교하여 더 큰 분수를 위의 ☐ 안에 써넣으세요.

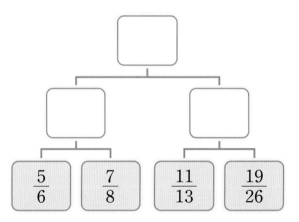

5

분모가 다른 분수의 덧셈

받아올림이 없는 진분수의 덧셈

개념 동영상 강의

방법 1 두 분모의 곱을 공통분모로 하여 통분한 후 더합니다.

$$\frac{1}{6}+\frac{3}{8}=\frac{1\times8}{6\times8}+\frac{3\times6}{8\times6}=\frac{8}{48}+\frac{18}{48}=\frac{26}{48}=\frac{13}{24}$$

└─ 두 분모 6과 8의 곱: 6×8=48   기약분수로 나타내기

방법 2 두 분모의 최소공배수를 공통분모로 하여 통분한 후 더합니다.

$$\frac{1}{6}+\frac{3}{8}=\frac{1\times4}{6\times4}+\frac{3\times3}{8\times3}=\frac{4}{24}+\frac{9}{24}=\frac{13}{24}$$

└─ 두 분모 6과 8의 최소공배수: 24

그림을 보고 ☐ 안에 알맞은 수를 써넣으세요.

1

$$\frac{2}{5}+\frac{1}{3}=\frac{\square}{15}+\frac{\square}{15}=\frac{\square}{15}$$

2

$$\frac{1}{6}+\frac{1}{4}=\frac{\square}{12}+\frac{\square}{12}=\frac{\square}{12}$$

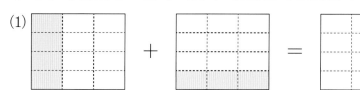

1 두 분수의 합만큼 그림에 색칠하고, ☐ 안에 알맞은 수를 써넣으세요.

(1)

$$\frac{1}{3} + \frac{1}{4} = \frac{\boxed{}}{12} + \frac{\boxed{}}{12} = \frac{\boxed{}}{\boxed{}}$$

(2)

$$\frac{2}{5} + \frac{3}{10} = \frac{\boxed{}}{10} + \frac{\boxed{}}{10} = \frac{\boxed{}}{\boxed{}}$$

2 ☐ 안에 알맞은 수를 써넣으세요.

(1) $\dfrac{5}{8} + \dfrac{1}{3} = \dfrac{5 \times \boxed{}}{8 \times 3} + \dfrac{1 \times \boxed{}}{3 \times \boxed{}} = \dfrac{\boxed{}}{24} + \dfrac{\boxed{}}{24} = \dfrac{\boxed{}}{24}$

(2) $\dfrac{3}{4} + \dfrac{1}{10} = \dfrac{3 \times \boxed{}}{4 \times 5} + \dfrac{1 \times \boxed{}}{10 \times \boxed{}} = \dfrac{\boxed{}}{20} + \dfrac{\boxed{}}{20} = \dfrac{\boxed{}}{20}$

3 계산을 하세요.

(1) $\dfrac{1}{2} + \dfrac{1}{5}$

(2) $\dfrac{1}{9} + \dfrac{1}{2}$

(3) $\dfrac{5}{8} + \dfrac{1}{4}$

(4) $\dfrac{3}{10} + \dfrac{4}{15}$

(5) $\dfrac{2}{7} + \dfrac{3}{5}$

(6) $\dfrac{7}{12} + \dfrac{3}{16}$

 # 받아올림이 있는 진분수의 덧셈

방법 1 두 분모의 곱을 공통분모로 하여 통분한 후 더합니다.

$$\frac{5}{6}+\frac{3}{8}=\frac{5\times8}{6\times8}+\frac{3\times6}{8\times6}=\frac{40}{48}+\frac{18}{48}=\frac{58}{48}=1\frac{10}{48}=1\frac{5}{24}$$

└─ 두 분모 6과 8의 곱: 6×8=48   계산 결과를 대분수로 나타내기   기약분수로 나타내기

방법 2 두 분모의 최소공배수를 공통분모로 하여 통분한 후 더합니다.

$$\frac{5}{6}+\frac{3}{8}=\frac{5\times4}{6\times4}+\frac{3\times3}{8\times3}=\frac{20}{24}+\frac{9}{24}=\frac{29}{24}=1\frac{5}{24}$$

└─ 두 분모 6과 8의 최소공배수: 24   계산 결과를 대분수로 나타내기

그림을 보고 ☐ 안에 알맞은 수를 써넣으세요.

1

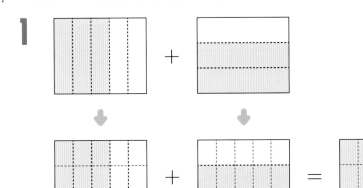

$$\frac{3}{5}+\frac{2}{3}=\frac{\square}{15}+\frac{\square}{15}=\frac{\square}{15}=\square\frac{\square}{15}$$

2

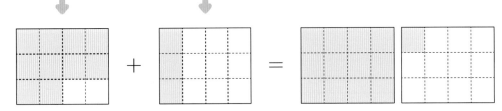

$$\frac{5}{6}+\frac{1}{4}=\frac{\square}{12}+\frac{\square}{12}=\frac{\square}{12}=\square\frac{\square}{12}$$

개념 적용하기

1 두 분수의 합만큼 그림에 색칠하고, □ 안에 알맞은 수를 써넣으세요.

(1)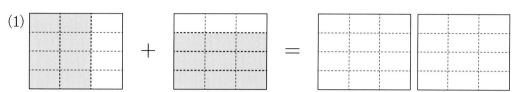

$$\frac{2}{3}+\frac{3}{4}=\frac{\square}{12}+\frac{\square}{12}=\frac{\square}{12}=\square\frac{\square}{12}$$

(2)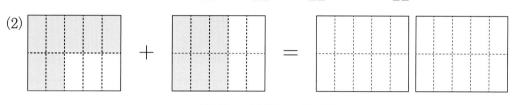

$$\frac{7}{10}+\frac{3}{5}=\frac{\square}{10}+\frac{\square}{10}=\frac{\square}{10}=\square\frac{\square}{10}$$

2 □ 안에 알맞은 수를 써넣으세요.

(1) $\dfrac{3}{4}+\dfrac{4}{5}=\dfrac{3\times\square}{4\times5}+\dfrac{4\times\square}{5\times\square}=\dfrac{\square}{20}+\dfrac{\square}{20}=\dfrac{\square}{20}=\square\dfrac{\square}{20}$

(2) $\dfrac{7}{9}+\dfrac{5}{12}=\dfrac{7\times\square}{9\times4}+\dfrac{5\times\square}{12\times\square}=\dfrac{\square}{36}+\dfrac{\square}{36}=\dfrac{\square}{36}=\square\dfrac{\square}{36}$

3 계산을 하세요.

(1) $\dfrac{1}{4}+\dfrac{7}{8}$

(2) $\dfrac{16}{27}+\dfrac{4}{9}$

(3) $\dfrac{5}{9}+\dfrac{3}{5}$

(4) $\dfrac{7}{24}+\dfrac{5}{6}$

(5) $\dfrac{9}{11}+\dfrac{1}{3}$

(6) $\dfrac{13}{18}+\dfrac{7}{12}$

개념 동영상 강의

방법 1 자연수 부분끼리 더하고 진분수 부분끼리 더합니다.

$$1\frac{1}{4}+2\frac{2}{3}=1\frac{3}{12}+2\frac{8}{12}=(1+2)+\left(\frac{3}{12}+\frac{8}{12}\right)=3+\frac{11}{12}=3\frac{11}{12}$$

통분

방법 2 대분수를 가분수로 나타내어 더합니다.

대분수 → 가분수

$$1\frac{1}{4}+2\frac{2}{3}=\frac{5}{4}+\frac{8}{3}=\frac{15}{12}+\frac{32}{12}=\frac{47}{12}=3\frac{11}{12}$$

통분   계산 결과를 대분수로 나타내기

그림을 보고 ☐ 안에 알맞은 수를 써넣으세요.

1

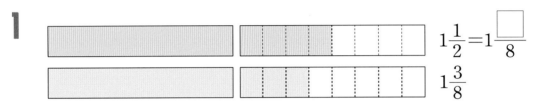

$1\frac{1}{2}=1\dfrac{\boxed{}}{8}$

$1\dfrac{3}{8}$

$$1\frac{1}{2}+1\frac{3}{8}=1\frac{\boxed{}}{8}+1\frac{\boxed{}}{8}=(1+1)+\left(\frac{\boxed{}}{8}+\frac{\boxed{}}{8}\right)=\boxed{}+\frac{\boxed{}}{8}=\boxed{}\frac{\boxed{}}{8}$$

2

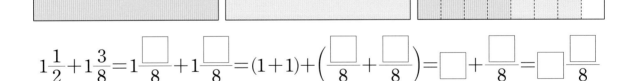

$2\frac{1}{2}=2\dfrac{\boxed{}}{14}$

$2\frac{3}{7}=2\dfrac{\boxed{}}{14}$

$$2\frac{1}{2}+2\frac{3}{7}=2\frac{\boxed{}}{14}+2\frac{\boxed{}}{14}=(2+2)+\left(\frac{\boxed{}}{14}+\frac{\boxed{}}{14}\right)=\boxed{}+\frac{\boxed{}}{14}=\boxed{}\frac{\boxed{}}{14}$$

1 두 분수의 합만큼 그림에 색칠하고, ☐ 안에 알맞은 수를 써넣으세요.

(1)

$$1\frac{1}{2}+1\frac{1}{3}=\frac{\boxed{}}{2}+\frac{\boxed{}}{3}=\frac{\boxed{}}{6}+\frac{\boxed{}}{6}=\frac{\boxed{}}{6}=\boxed{}\frac{\boxed{}}{6}$$

(2)

$$1\frac{1}{6}+1\frac{1}{4}=\frac{\boxed{}}{6}+\frac{\boxed{}}{4}=\frac{\boxed{}}{12}+\frac{\boxed{}}{12}=\frac{\boxed{}}{12}=\boxed{}\frac{\boxed{}}{12}$$

2 $4\frac{1}{2}+1\frac{2}{9}$ 를 2가지 방법으로 계산하세요.

방법 1 자연수 부분끼리 더하고 진분수 부분끼리 더하기

$$4\frac{1}{2}+1\frac{2}{9}$$

방법 2 대분수를 가분수로 나타내어 더하기

$$4\frac{1}{2}+1\frac{2}{9}$$

3 계산을 하세요.

(1) $2\frac{1}{6}+1\frac{5}{12}$

(2) $2\frac{1}{4}+3\frac{2}{5}$

(3) $1\frac{5}{7}+3\frac{1}{4}$

(4) $1\frac{1}{3}+5\frac{2}{7}$

(5) $3\frac{1}{3}+4\frac{5}{8}$

(6) $6\frac{4}{9}+3\frac{1}{6}$

방법 1 자연수 부분끼리 더하고 진분수 부분끼리 더합니다.

$$2\frac{3}{4}+1\frac{2}{3}=2\frac{9}{12}+1\frac{8}{12}=(2+1)+\left(\frac{9}{12}+\frac{8}{12}\right)=3+\frac{17}{12}=3+1\frac{5}{12}=4\frac{5}{12}$$

통분   진분수 부분의 합이 가분수이므로 대분수로 나타내기

방법 2 대분수를 가분수로 나타내어 더합니다.

대분수 → 가분수

$$2\frac{3}{4}+1\frac{2}{3}=\frac{11}{4}+\frac{5}{3}=\frac{33}{12}+\frac{20}{12}=\frac{53}{12}=4\frac{5}{12}$$

통분   계산 결과를 대분수로 나타내기

그림을 보고 ☐ 안에 알맞은 수를 써넣으세요.

1

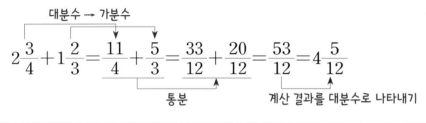

$1\frac{3}{4}=1\dfrac{\boxed{}}{8}$

$1\frac{5}{8}$

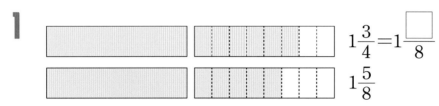

$$1\frac{3}{4}+1\frac{5}{8}=1\frac{\boxed{}}{8}+1\frac{\boxed{}}{8}=2+\frac{\boxed{}}{8}=2+\boxed{}\frac{\boxed{}}{8}=\boxed{}\frac{\boxed{}}{8}$$

2

$1\frac{5}{7}=1\dfrac{\boxed{}}{14}$

$2\frac{1}{2}=2\dfrac{\boxed{}}{14}$

$$1\frac{5}{7}+2\frac{1}{2}=1\frac{\boxed{}}{14}+2\frac{\boxed{}}{14}=3+\frac{\boxed{}}{14}=3+\boxed{}\frac{\boxed{}}{14}=\boxed{}\frac{\boxed{}}{14}$$

개념 적용하기

1 두 분수의 합만큼 그림에 색칠하고, ☐ 안에 알맞은 수를 써넣으세요.

(1)

$$1\frac{2}{3}+1\frac{1}{2}=\frac{\square}{3}+\frac{\square}{2}=\frac{\square}{6}+\frac{\square}{6}=\frac{\square}{6}=\square\frac{\square}{6}$$

(2)

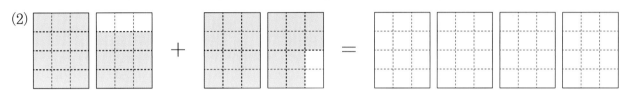

$$1\frac{3}{4}+1\frac{5}{6}=\frac{\square}{4}+\frac{\square}{6}=\frac{\square}{12}+\frac{\square}{12}=\frac{\square}{12}=\square\frac{\square}{12}$$

2 $3\frac{4}{7}+2\frac{2}{3}$ 를 2가지 방법으로 계산하세요.

방법 1 자연수 부분끼리 더하고 진분수 부분끼리 더하기

$$3\frac{4}{7}+2\frac{2}{3}$$

방법 2 대분수를 가분수로 나타내어 더하기

$$3\frac{4}{7}+2\frac{2}{3}$$

3 계산을 하세요.

(1) $2\frac{5}{6}+2\frac{4}{9}$

(2) $5\frac{4}{5}+3\frac{1}{3}$

(3) $3\frac{7}{9}+2\frac{3}{4}$

(4) $7\frac{3}{5}+4\frac{1}{2}$

(5) $3\frac{5}{7}+1\frac{3}{8}$

(6) $1\frac{3}{10}+3\frac{11}{12}$

5단원 끝내기 개념 21~24

1 그림을 보고 □ 안에 알맞은 수를 써넣으세요.

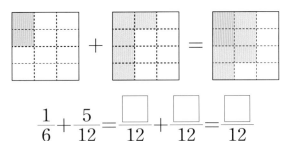

$$\frac{1}{6} + \frac{5}{12} = \frac{\square}{12} + \frac{\square}{12} = \frac{\square}{12}$$

2 ▮보기▮와 같이 2가지 방법으로 계산하세요.

┤보기├

① $\frac{2}{3} + \frac{1}{9} = \frac{18}{27} + \frac{3}{27} = \frac{21}{27} = \frac{7}{9}$

② $\frac{2}{3} + \frac{1}{9} = \frac{6}{9} + \frac{1}{9} = \frac{7}{9}$

① $\frac{3}{8} + \frac{1}{4}$

② $\frac{3}{8} + \frac{1}{4}$

3 관계있는 것끼리 이으세요.

$\frac{3}{7} + \frac{2}{5}$ •　　• $\frac{41}{72}$

$\frac{2}{9} + \frac{1}{6}$ •　　• $\frac{7}{18}$

$\frac{1}{8} + \frac{4}{9}$ •　　• $\frac{29}{35}$

4 □ 안에 알맞은 수를 써넣으세요.

(1) $\frac{1}{4} + \frac{2}{5} = \frac{1 \times \square}{4 \times 5} + \frac{2 \times \square}{5 \times 4}$

$= \frac{\square}{20} + \frac{\square}{20} = \frac{\square}{20}$

(2) $\frac{7}{8} + \frac{5}{6} = \frac{7 \times \square}{8 \times 3} + \frac{5 \times \square}{6 \times \square}$

$= \frac{\square}{24} + \frac{\square}{24}$

$= \frac{\square}{24} = \square \frac{\square}{24}$

5 계산 결과가 1보다 큰 것을 모두 찾아 기호를 쓰세요.

㉠ $\frac{2}{9} + \frac{11}{12}$

㉡ $\frac{3}{4} + \frac{15}{16}$

㉢ $\frac{5}{8} + \frac{1}{7}$

(　　　　　　　)

6 무게가 $\frac{9}{20}$ kg인 책과 $\frac{7}{8}$ kg인 책이 있습니다. 두 책의 무게의 합은 몇 kg일까요?

(　　　　　　　)

7 그림을 보고 □ 안에 알맞은 수를 써넣으세요.

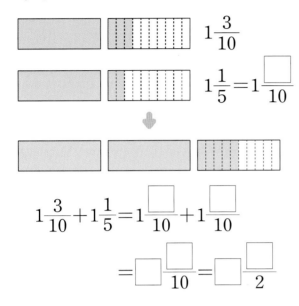

$1\dfrac{3}{10}$

$1\dfrac{1}{5}=1\dfrac{\square}{10}$

$1\dfrac{3}{10}+1\dfrac{1}{5}=1\dfrac{\square}{10}+1\dfrac{\square}{10}$

$=\square\dfrac{\square}{10}=\square\dfrac{\square}{2}$

8 □ 안에 알맞은 수를 써넣으세요.

$4\dfrac{3}{4}+2\dfrac{1}{6}=4\dfrac{\square}{12}+2\dfrac{\square}{12}$

$=(4+2)+\left(\dfrac{\square}{12}+\dfrac{\square}{12}\right)$

$=\square+\dfrac{\square}{12}=\square\dfrac{\square}{12}$

9 ▌보기▐와 같은 방법으로 계산하세요.

┤보기├

$2\dfrac{4}{9}+2\dfrac{1}{4}=\dfrac{22}{9}+\dfrac{9}{4}=\dfrac{88}{36}+\dfrac{81}{36}$

$=\dfrac{169}{36}=4\dfrac{25}{36}$

$7\dfrac{2}{5}+3\dfrac{1}{2}$

10 계산을 하세요.

(1) $7\dfrac{1}{3}+2\dfrac{5}{12}$

(2) $5\dfrac{6}{7}+3\dfrac{4}{9}$

(3) $1\dfrac{7}{8}+4\dfrac{11}{18}$

11 빈 곳에 알맞은 수를 써넣으세요.

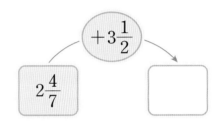

$+3\dfrac{1}{2}$

$2\dfrac{4}{7}$

12 계산 결과를 비교하여 ◯ 안에 >, =, < 를 알맞게 써넣으세요.

$3\dfrac{5}{6}+4\dfrac{3}{8}$ ◯ $1\dfrac{7}{12}+6\dfrac{17}{24}$

13 과일주스를 만드는 데 사과 $1\dfrac{9}{10}$ kg과 당근 $1\dfrac{1}{4}$ kg을 사용하였습니다. 사용한 사과와 당근은 모두 몇 kg일까요?

(   )

6

분모가 다른 분수의 뺄셈

개념 25 **진분수의 뺄셈**

방법 1 두 분모의 곱을 공통분모로 하여 통분한 후 뺍니다.

$$\frac{5}{6} - \frac{2}{9} = \frac{5 \times 9}{6 \times 9} - \frac{2 \times 6}{9 \times 6} = \frac{45}{54} - \frac{12}{54} = \frac{33}{54} = \frac{11}{18}$$

└ 두 분모 6과 9의 곱: 6×9=54　　　　　기약분수로 나타내기

방법 2 두 분모의 최소공배수를 공통분모로 하여 통분한 후 뺍니다.

$$\frac{5}{6} - \frac{2}{9} = \frac{5 \times 3}{6 \times 3} - \frac{2 \times 2}{9 \times 2} = \frac{15}{18} - \frac{4}{18} = \frac{11}{18}$$

└ 두 분모 6과 9의 최소공배수: 18

그림을 보고 ☐ 안에 알맞은 수를 써넣으세요.

1

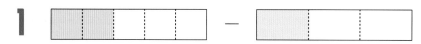

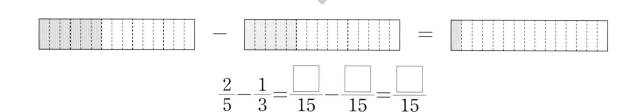

$$\frac{2}{5} - \frac{1}{3} = \frac{\Box}{15} - \frac{\Box}{15} = \frac{\Box}{15}$$

2

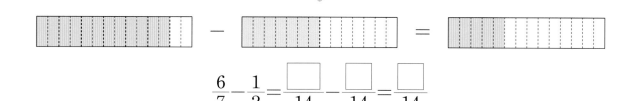

$$\frac{6}{7} - \frac{1}{2} = \frac{\Box}{14} - \frac{\Box}{14} = \frac{\Box}{14}$$

3

$$\frac{5}{6} - \frac{3}{4} = \frac{\Box}{12} - \frac{\Box}{12} = \frac{\Box}{12}$$

개념 적용하기

1 두 분수의 차만큼 그림에 색칠하고, ☐ 안에 알맞은 수를 써넣으세요.

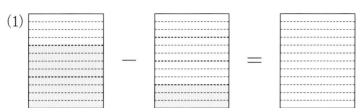

(1)

$$\frac{2}{3} - \frac{1}{4} = \frac{\boxed{}}{12} - \frac{\boxed{}}{12} = \frac{\boxed{}}{12}$$

(2)

$$\frac{3}{5} - \frac{3}{10} = \frac{\boxed{}}{10} - \frac{\boxed{}}{10} = \frac{\boxed{}}{10}$$

2 ☐ 안에 알맞은 수를 써넣으세요.

(1) $\dfrac{1}{2} - \dfrac{1}{5} = \dfrac{1 \times \boxed{}}{2 \times 5} - \dfrac{1 \times \boxed{}}{5 \times \boxed{}} = \dfrac{\boxed{}}{10} - \dfrac{\boxed{}}{10} = \dfrac{\boxed{}}{10}$

(2) $\dfrac{3}{8} - \dfrac{1}{6} = \dfrac{3 \times \boxed{}}{8 \times 3} - \dfrac{1 \times \boxed{}}{6 \times \boxed{}} = \dfrac{\boxed{}}{24} - \dfrac{\boxed{}}{24} = \dfrac{\boxed{}}{24}$

3 계산을 하세요.

(1) $\dfrac{4}{5} - \dfrac{5}{8}$

(2) $\dfrac{8}{9} - \dfrac{3}{4}$

(3) $\dfrac{5}{9} - \dfrac{3}{8}$

(4) $\dfrac{5}{12} - \dfrac{1}{3}$

(5) $\dfrac{13}{20} - \dfrac{7}{15}$

(6) $\dfrac{3}{5} - \dfrac{7}{16}$

개념 26 받아내림이 없는 대분수의 뺄셈

개념 동영상 강의

방법 1 자연수 부분끼리 빼고 진분수 부분끼리 뺍니다.

$$4\frac{3}{4} - 2\frac{1}{3} = 4\frac{9}{12} - 2\frac{4}{12} = (4-2) + \left(\frac{9}{12} - \frac{4}{12}\right) = 2 + \frac{5}{12} = 2\frac{5}{12}$$

통분

방법 2 대분수를 가분수로 나타내어 뺍니다.

대분수 → 가분수

$$4\frac{3}{4} - 2\frac{1}{3} = \frac{19}{4} - \frac{7}{3} = \frac{57}{12} - \frac{28}{12} = \frac{29}{12} = 2\frac{5}{12}$$

통분   계산 결과를 대분수로 나타내기

💡 그림을 보고 ☐ 안에 알맞은 수를 써넣으세요.

1

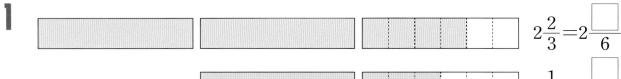

$$2\frac{2}{3} = 2\frac{\boxed{}}{6}$$

$$1\frac{1}{2} = 1\frac{\boxed{}}{6}$$

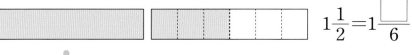

$$2\frac{2}{3} - 1\frac{1}{2} = 2\frac{\boxed{}}{6} - 1\frac{\boxed{}}{6} = (2-1) + \left(\frac{\boxed{}}{6} - \frac{\boxed{}}{6}\right) = \boxed{} + \frac{\boxed{}}{6} = \boxed{}\frac{\boxed{}}{6}$$

2

$$3\frac{3}{4} = 3\frac{\boxed{}}{12}$$

$$1\frac{1}{6} = 1\frac{\boxed{}}{12}$$

$$3\frac{3}{4} - 1\frac{1}{6} = 3\frac{\boxed{}}{12} - 1\frac{\boxed{}}{12} = (3-1) + \left(\frac{\boxed{}}{12} - \frac{\boxed{}}{12}\right) = \boxed{} + \frac{\boxed{}}{12} = \boxed{}\frac{\boxed{}}{12}$$

개념 적용하기

1 두 분수의 차만큼 그림에 색칠하고, ☐ 안에 알맞은 수를 써넣으세요.

(1)

$$3\frac{1}{2} - 1\frac{1}{3} = \frac{\boxed{}}{2} - \frac{\boxed{}}{3} = \frac{\boxed{}}{6} - \frac{\boxed{}}{6} = \frac{\boxed{}}{6} = \boxed{}\frac{\boxed{}}{6}$$

(2)

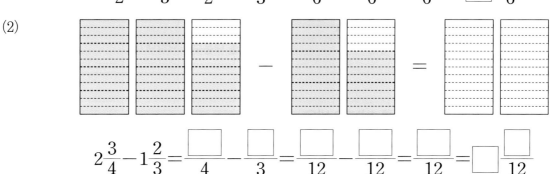

$$2\frac{3}{4} - 1\frac{2}{3} = \frac{\boxed{}}{4} - \frac{\boxed{}}{3} = \frac{\boxed{}}{12} - \frac{\boxed{}}{12} = \frac{\boxed{}}{12} = \boxed{}\frac{\boxed{}}{12}$$

2 $5\frac{1}{2} - 2\frac{2}{9}$ 를 2가지 방법으로 계산하세요.

방법 1 자연수 부분끼리 빼고 진분수 부분끼리 빼기

$$5\frac{1}{2} - 2\frac{2}{9}$$

방법 2 대분수를 가분수로 나타내어 빼기

$$5\frac{1}{2} - 2\frac{2}{9}$$

3 계산을 하세요.

(1) $4\frac{1}{2} - 2\frac{1}{5}$

(2) $5\frac{2}{3} - 3\frac{1}{8}$

(3) $4\frac{5}{6} - 1\frac{2}{3}$

(4) $8\frac{5}{7} - 2\frac{2}{5}$

(5) $5\frac{11}{12} - 1\frac{3}{4}$

(6) $6\frac{5}{14} - 3\frac{1}{4}$

6단원 끝내기 개념 25~27

1 그림을 보고 □ 안에 알맞은 수를 써넣으세요.

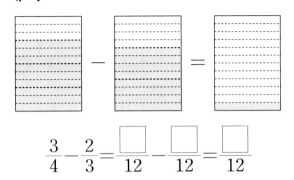

$$\frac{3}{4} - \frac{2}{3} = \frac{\square}{12} - \frac{\square}{12} = \frac{\square}{12}$$

2 □ 안에 알맞은 수를 써넣으세요.

$$\frac{5}{6} - \frac{3}{8} = \frac{5 \times 4}{6 \times \square} - \frac{3 \times \square}{8 \times \square}$$

$$= \frac{\square}{24} - \frac{\square}{24} = \frac{\square}{24}$$

3 $\frac{1}{4} - \frac{1}{6}$ 을 2가지 방법으로 계산하세요.

방법 1 두 분모의 곱을 공통분모로 하여 통분한 후 빼기

방법 2 두 분모의 최소공배수를 공통분모로 하여 통분한 후 빼기

4 계산을 하세요.

(1) $\frac{7}{9} - \frac{3}{5}$

(2) $\frac{4}{7} - \frac{3}{8}$

(3) $\frac{7}{12} - \frac{5}{9}$

5 관계있는 것끼리 이으세요.

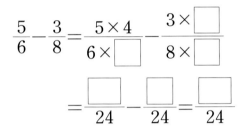

$\frac{7}{8} - \frac{1}{2}$ · · $\frac{13}{18}$

$\frac{8}{9} - \frac{1}{6}$ · · $\frac{1}{6}$

$\frac{11}{12} - \frac{3}{4}$ · · $\frac{3}{8}$

6 윤주는 빨간색 테이프 $\frac{9}{10}$ m와 파란색 테이프 $\frac{2}{5}$ m를 가지고 있습니다. 어느 색 테이프가 몇 m 더 길까요?

(   ), (   )

7 그림을 보고 □ 안에 알맞은 수를 써넣으세요.

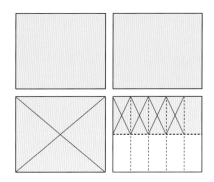

$$3\frac{1}{2} - 1\frac{2}{5} = 3\frac{\square}{10} - 1\frac{\square}{10} = \square\frac{\square}{10}$$

8 □ 안에 알맞은 수를 써넣으세요.

$$6\frac{5}{7} - 3\frac{1}{4} = 6\frac{\square}{28} - 3\frac{\square}{28}$$

$$= (6 - \square) + \left(\frac{\square}{28} - \frac{\square}{28}\right)$$

$$= \square + \frac{\square}{28} = \square\frac{\square}{28}$$

9 ▎보기▎와 같은 방법으로 계산하세요.

┤보기├

$$5\frac{1}{6} - 2\frac{5}{9} = \frac{31}{6} - \frac{23}{9} = \frac{93}{18} - \frac{46}{18}$$

$$= \frac{47}{18} = 2\frac{11}{18}$$

$$6\frac{2}{7} - 3\frac{1}{2}$$

10 계산을 하세요.

(1) $4\frac{2}{3} - 1\frac{1}{4}$

(2) $7\frac{4}{9} - 5\frac{2}{3}$

(3) $9\frac{3}{11} - 6\frac{4}{7}$

11 빈 곳에 알맞은 수를 써넣으세요.

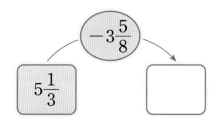

12 계산 결과를 비교하여 ◯ 안에 >, =, < 를 알맞게 써넣으세요.

$$7\frac{5}{6} - 2\frac{8}{9} \quad \bigcirc \quad 8\frac{1}{2} - 3\frac{5}{9}$$

13 물통에 물이 $3\frac{13}{20}$ L 들어 있었습니다. 그중에서 $1\frac{11}{16}$ L를 사용하였습니다. 남은 물은 몇 L일까요?

(   )

7

분수의 곱셈

 **(분수) × (자연수)**

개념 동영상 강의

- **(진분수) × (자연수)의 계산 방법**

  분모는 그대로 두고 분자와 자연수를 곱합니다. 이때 약분이 되면 약분하여 계산합니다.

$$\frac{3}{8} \times 4 = \frac{3 \times \overset{1}{4}}{\underset{2}{8}} = \frac{3}{2} = 1\frac{1}{2}$$

↑ 계산 결과를 대분수로 나타내기

- **(대분수) × (자연수)의 계산 방법**

  방법 1 대분수를 가분수로 나타내어 계산합니다.

$$1\frac{1}{4} \times 3 = \frac{5}{4} \times 3 = \frac{15}{4} = 3\frac{3}{4}$$

대분수 → 가분수   계산 결과를 대분수로 나타내기

  방법 2 대분수를 자연수 부분과 진분수 부분으로 구분하여 계산합니다.

$$1\frac{1}{4} \times 3 = (1 \times 3) + \left(\frac{1}{4} \times 3\right) = 3 + \frac{3}{4} = 3\frac{3}{4}$$

🔔 그림을 보고 ☐ 안에 알맞은 수를 써넣으세요.

1

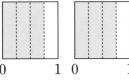 ➡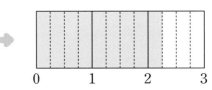

$$\frac{3}{4} \times 3 = \frac{3 \times \square}{4} = \frac{\square}{4} = \square\frac{\square}{4}$$

2

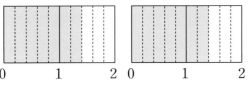 ➡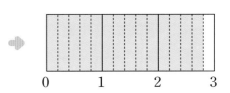

$$1\frac{2}{5} \times 2 = \frac{\square}{5} \times 2 = \frac{\square \times \square}{5} = \frac{\square}{5} = \square\frac{\square}{5}$$

3

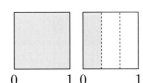   ➡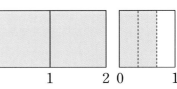

$$1\frac{1}{3} \times 2 = (\square \times 2) + \left(\frac{\square}{3} \times 2\right) = \square + \frac{\square}{3} = \square\frac{\square}{3}$$

개념 적용하기

1 분수와 자연수의 곱을 수직선에 나타내고, ☐ 안에 알맞은 수를 써넣으세요.

(1)

$$\frac{2}{3} \times 4 = \frac{2 \times \boxed{}}{3} = \frac{\boxed{}}{3} = \boxed{}\frac{\boxed{}}{3}$$

(2)

$$1\frac{4}{5} \times 2 = \frac{\boxed{}}{5} \times 2 = \frac{\boxed{} \times \boxed{}}{5} = \frac{\boxed{}}{5} = \boxed{}\frac{\boxed{}}{5}$$

2 $2\frac{4}{7} \times 3$을 2가지 방법으로 계산하려고 합니다. ☐ 안에 알맞은 수를 써넣으세요.

(1) $2\frac{4}{7} \times 3 = \dfrac{\boxed{}}{7} \times 3 = \dfrac{\boxed{}}{7} = \boxed{}\dfrac{\boxed{}}{7}$

(2) $2\frac{4}{7} \times 3 = \left(\boxed{} \times 3\right) + \left(\dfrac{\boxed{}}{7} \times 3\right) = \boxed{} + \dfrac{\boxed{}}{7} = \boxed{} + \boxed{}\dfrac{\boxed{}}{7} = \boxed{}\dfrac{\boxed{}}{7}$

3 계산을 하세요.

(1) $\dfrac{5}{6} \times 9$

(2) $\dfrac{3}{10} \times 6$

(3) $1\dfrac{1}{14} \times 8$

(4) $2\dfrac{7}{9} \times 2$

(5) $3\dfrac{2}{3} \times 5$

(6) $3\dfrac{5}{8} \times 4$

4 빈 곳에 알맞은 수를 써넣으세요.

(1)

$\dfrac{2}{9}$ ── $\times 7$ → ☐

(2)

$2\dfrac{1}{4}$ ── $\times 2$ → ☐

개념 29 (자연수)×(분수)

개념 동영상 강의

- (자연수)×(진분수)의 계산 방법

분모는 그대로 두고 자연수와 분자를 곱합니다. 이때 약분이 되면 약분하여 계산합니다.

$$3 \times \frac{5}{6} = \frac{\overset{1}{3} \times 5}{\underset{2}{6}} = \frac{5}{2} = 2\frac{1}{2}$$

↑ 계산 결과를 대분수로 나타내기

- (자연수)×(대분수)의 계산 방법

방법 1 대분수를 가분수로 나타내어 계산합니다.

$$4 \times 1\frac{1}{5} = 4 \times \frac{6}{5} = \frac{24}{5} = 4\frac{4}{5}$$

대분수 → 가분수   계산 결과를 대분수로 나타내기

방법 2 대분수를 자연수 부분과 진분수 부분으로 구분하여 계산합니다.

$$4 \times 1\frac{1}{5} = (4 \times 1) + \left(4 \times \frac{1}{5}\right) = 4 + \frac{4}{5} = 4\frac{4}{5}$$

그림을 보고 □ 안에 알맞은 수를 써넣으세요.

1

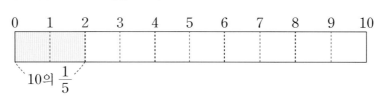

$$10 \times \frac{1}{5} = \boxed{}$$

2

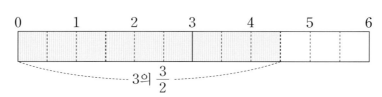

$$3 \times 1\frac{1}{2} = 3 \times \frac{\boxed{}}{2} = \frac{\boxed{}}{2} = \boxed{}\frac{\boxed{}}{2}$$

3

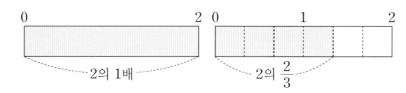

$$2 \times 1\frac{2}{3} = \left(2 \times \boxed{}\right) + \left(2 \times \frac{\boxed{}}{3}\right) = \boxed{} + \frac{\boxed{}}{3} = \boxed{} + \boxed{}\frac{\boxed{}}{3} = \boxed{}\frac{\boxed{}}{3}$$

개념 적용하기

1 자연수와 분수의 곱만큼 그림에 색칠하고, ☐ 안에 알맞은 수를 써넣으세요.

(1) 0   1   2   3   4   5

$$5 \times \frac{4}{5} = \boxed{}$$

(2) 0   1   2   3   4   5   6   7   8

$$8 \times \frac{3}{4} = \boxed{}$$

(3) 0   1   2   3   4   5   6   7   8   9

$$3 \times 2\frac{1}{3} = 3 \times \frac{\boxed{}}{3} = \boxed{}$$

(4) 0   1   2   3   4   5   6   7   8   9   10   11   12

$$6 \times 1\frac{1}{2} = 6 \times \frac{\boxed{}}{2} = \boxed{}$$

2 $9 \times 2\frac{1}{6}$ 을 2가지 방법으로 계산하세요.

방법 1 대분수를 가분수로 나타내어 계산하기

$$9 \times 2\frac{1}{6}$$

방법 2 대분수를 자연수 부분과 진분수 부분으로 구분하여 계산하기

$$9 \times 2\frac{1}{6}$$

3 계산을 하세요.

(1) $6 \times \frac{1}{4}$

(2) $10 \times \frac{5}{6}$

(3) $2 \times 1\frac{3}{8}$

(4) $8 \times 1\frac{3}{5}$

(5) $3 \times 2\frac{3}{4}$

(6) $5 \times 1\frac{2}{15}$

 진분수의 곱셈

• (진분수) × (진분수)의 계산 방법

분자는 분자끼리, 분모는 분모끼리 곱합니다. 이때 약분이 되면 약분하여 계산합니다.

$$\frac{2}{3} \times \frac{3}{7} = \frac{2 \times \overset{1}{3}}{\underset{1}{3} \times 7} = \frac{2}{7}$$

• 세 분수의 곱셈 계산 방법

앞에서부터 두 분수씩 차례로 계산하거나 세 분수를 한꺼번에 계산합니다.

$$\frac{4}{5} \times \frac{3}{4} \times \frac{5}{6} = \left(\frac{\overset{1}{4}}{5} \times \frac{3}{\underset{1}{4}} \right) \times \frac{5}{6} = \frac{3}{\underset{1}{5}} \times \frac{\overset{1}{5}}{\underset{2}{6}} = \frac{1}{2}$$

$$\frac{\overset{1}{4}}{\underset{1}{5}} \times \frac{\overset{1}{3}}{\underset{1}{4}} \times \frac{\overset{1}{5}}{\underset{2}{6}} = \frac{1}{2}$$

💡 그림을 보고 ☐ 안에 알맞은 수를 써넣으세요.

1

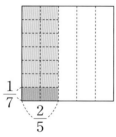

$$\frac{1}{3} \times \frac{1}{5} = \frac{1 \times 1}{\boxed{} \times \boxed{}} = \frac{\boxed{}}{\boxed{}}$$

2

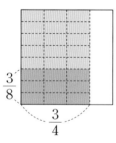

$$\frac{2}{5} \times \frac{1}{7} = \frac{\boxed{} \times 1}{5 \times \boxed{}} = \frac{\boxed{}}{\boxed{}}$$

3

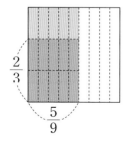

$$\frac{3}{4} \times \frac{3}{8} = \frac{3 \times \boxed{}}{\boxed{} \times 8} = \frac{\boxed{}}{\boxed{}}$$

4

$$\frac{5}{9} \times \frac{2}{3} = \frac{5 \times \boxed{}}{9 \times \boxed{}} = \frac{\boxed{}}{\boxed{}}$$

개념 적용하기

1 그림을 보고 □ 안에 알맞은 수를 써넣으세요.

$$\frac{1}{5} \times \frac{1}{4} \times \frac{1}{2} = \frac{\square}{\square} \times \frac{1}{2} = \frac{\square}{\square}$$

2 $\frac{7}{8} \times \frac{4}{9}$ 를 여러 가지 방법으로 계산하려고 합니다. □ 안에 알맞은 수를 써넣으세요.

(1) $\dfrac{7}{8} \times \dfrac{4}{9} = \dfrac{7 \times 4}{8 \times 9} = \dfrac{\overset{\square}{28}}{\underset{\square}{72}} = \dfrac{\square}{\square}$

(2) $\dfrac{7}{8} \times \dfrac{4}{9} = \dfrac{7 \times \overset{\square}{4}}{8 \times 9} = \dfrac{\square}{\underset{\square}{}}$

(3) $\dfrac{7}{8} \times \dfrac{\overset{\square}{4}}{9} = \dfrac{\square}{\underset{\square}{}}$

3 계산을 하세요.

(1) $\dfrac{3}{5} \times \dfrac{1}{2}$

(2) $\dfrac{2}{7} \times \dfrac{3}{4}$

(3) $\dfrac{5}{6} \times \dfrac{2}{3}$

(4) $\dfrac{9}{10} \times \dfrac{5}{8}$

(5) $\dfrac{1}{6} \times \dfrac{1}{2} \times \dfrac{1}{3}$

(6) $\dfrac{1}{4} \times \dfrac{2}{9} \times \dfrac{4}{7}$

개념 31 대분수의 곱셈

개념 동영상 강의

대분수의 곱셈은 대분수를 가분수로 나타낸 다음 분자는 분자끼리, 분모는 분모끼리 곱합니다. 이때 약분이 되면 약분하여 계산합니다.

$$1\frac{2}{3} \times 2\frac{3}{5} = \frac{5}{3} \times \frac{13}{5} = \frac{\overset{1}{5} \times 13}{3 \times \underset{1}{5}} = \frac{13}{3} = 4\frac{1}{3}$$

대분수 → 가분수   계산 결과를 대분수로 나타내기

🔍 그림을 보고 ☐ 안에 알맞은 수를 써넣으세요.

1

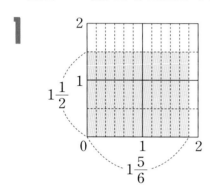

$$1\frac{5}{6} \times 1\frac{1}{2} = \frac{\boxed{}}{6} \times \frac{\boxed{}}{2} = \frac{\boxed{}}{12} = \frac{\boxed{}}{4} = \boxed{}\frac{\boxed{}}{4}$$

2

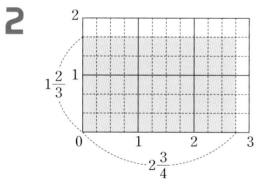

$$2\frac{3}{4} \times 1\frac{2}{3} = \frac{\boxed{}}{4} \times \frac{\boxed{}}{3} = \frac{\boxed{}}{12} = \boxed{}\frac{\boxed{}}{12}$$

3

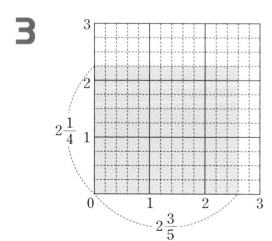

$$2\frac{3}{5} \times 2\frac{1}{4} = \frac{\boxed{}}{5} \times \frac{\boxed{}}{4} = \frac{\boxed{}}{20} = \boxed{}\frac{\boxed{}}{20}$$

개념 적용하기

1 두 분수의 곱만큼 그림에 색칠하고, □ 안에 알맞은 수를 써넣으세요.

(1)
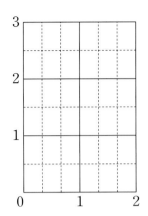

$$1\frac{2}{3} \times 2\frac{1}{2} = \frac{\square}{3} \times \frac{\square}{2}$$

$$= \frac{\square}{6} = \square\frac{\square}{6}$$

(2)
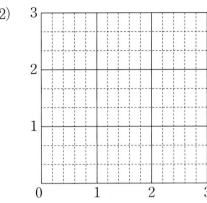

$$2\frac{1}{5} \times 2\frac{1}{3} = \frac{\square}{5} \times \frac{\square}{3}$$

$$= \frac{\square}{15} = \square\frac{\square}{15}$$

2 |보기|와 같은 방법으로 계산하세요.

|보기|

$$3\frac{3}{7} \times 1\frac{1}{9} = \frac{\overset{8}{24}}{7} \times \frac{10}{\underset{3}{9}} = \frac{80}{21} = 3\frac{17}{21}$$

(1) $2\dfrac{1}{6} \times 4\dfrac{1}{2}$

(2) $1\dfrac{7}{9} \times 2\dfrac{3}{8}$

3 계산을 하세요.

(1) $1\dfrac{5}{7} \times 1\dfrac{3}{4}$

(2) $1\dfrac{2}{5} \times 3\dfrac{2}{3}$

(3) $2\dfrac{5}{8} \times 1\dfrac{5}{6}$

(4) $5\dfrac{1}{2} \times 2\dfrac{2}{9}$

(5) $\dfrac{6}{7} \times 1\dfrac{1}{4} \times 2\dfrac{4}{5}$

(6) $4\dfrac{8}{15} \times 5\dfrac{5}{8} \times \dfrac{2}{3}$

1 그림을 보고 □ 안에 알맞은 수를 써넣으세요.

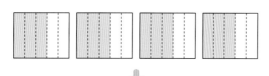

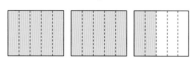

$$\frac{3}{5} \times 4 = \frac{3}{5} + \frac{3}{5} + \frac{3}{5} + \frac{3}{5}$$

$$= \frac{3 \times \square}{5} = \frac{\square}{\square} = \square\frac{\square}{\square}$$

2 □ 안에 알맞은 수를 써넣으세요.

$$2\frac{1}{2} \times 4 = (2 \times 4) + \left(\frac{1}{2} \times 4\right)^{\square}$$

$$= \square + \square = \square$$

3 계산 결과가 같은 것끼리 이으세요.

$\dfrac{7}{13} \times 5$ •   • $\dfrac{5}{13} \times 7$

$2\dfrac{1}{6} \times 4$ •   • $\dfrac{7}{4} \times 9$

$1\dfrac{3}{4} \times 9$ •   • $\dfrac{13}{3} \times 2$

4 $2 \times \dfrac{5}{8}$ 를 여러 가지 방법으로 계산하려고 합니다. □ 안에 알맞은 수를 써넣으세요.

(1) $2 \times \dfrac{5}{8} = \dfrac{2 \times 5}{8} = \dfrac{10}{8} = \dfrac{\square}{\square}$

$$= \square\frac{\square}{\square}$$

(2) $2 \times \dfrac{5}{8} = \dfrac{2 \times 5}{\overset{\square}{8}} = \dfrac{\square}{\square} = \square\frac{\square}{\square}$

(3) $\overset{\square}{2} \times \dfrac{5}{8} = \dfrac{\square}{\square} = \square\frac{\square}{\square}$

5 빈 곳에 알맞은 수를 써넣으세요.

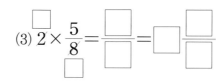

| 7 | $1\dfrac{4}{5}$ | |
| 6 | $2\dfrac{9}{10}$ | |

6 계산 결과가 5보다 큰 식에 ○표, 5보다 작은 식에 △표 하세요.

$$5 \times \frac{3}{7} \quad 5 \times 1\frac{2}{3} \quad 5 \times 1 \quad 5 \times \frac{8}{9}$$

7 그림을 보고 □ 안에 알맞은 수를 써넣으세요.

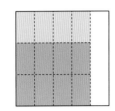

$$\frac{4}{5} \times \frac{2}{3} = \frac{4 \times \boxed{}}{5 \times \boxed{}} = \frac{\boxed{}}{\boxed{}}$$

8 ▮보기▮와 같은 방법으로 계산하세요.

┌─ 보기 ┐
$$\frac{7}{8} \times \frac{3}{10} \times \frac{4}{9} = \left(\frac{7}{8} \times \frac{3}{10} \right) \times \frac{4}{9}$$
$$= \frac{\overset{7}{\cancel{21}}}{\underset{20}{\cancel{80}}} \times \frac{\overset{1}{\cancel{4}}}{\underset{3}{\cancel{9}}} = \frac{7}{60}$$
└──────────────────────┘

$$\frac{5}{6} \times \frac{5}{7} \times \frac{2}{5}$$

9 끈 $\frac{9}{10}$ m의 $\frac{3}{5}$ 을 사용하여 매듭을 만들었습니다. 매듭을 만드는 데 사용한 끈의 길이는 몇 m일까요?

(　　　　　　　　)

10 계산을 하세요.

(1) $\frac{7}{8} \times \frac{1}{3}$

(2) $1\frac{3}{4} \times 2\frac{1}{5}$

(3) $3\frac{5}{9} \times 2\frac{3}{4}$

11 윤우가 분수의 곱셈을 잘못 계산한 것입니다. 계산에서 잘못된 부분을 찾아 바르게 계산하세요.

┌────────────────────────────┐
$$2\frac{1}{\underset{2}{\cancel{4}}} \times 1\frac{\overset{1}{\cancel{2}}}{7} = \frac{5}{2} \times \frac{\overset{4}{\cancel{8}}}{7} = \frac{20}{7} = 2\frac{6}{7}$$
└────────────────────────────┘

$$2\frac{1}{4} \times 1\frac{2}{7}$$

12 계산 결과를 비교하여 ◯ 안에 >, =, < 를 알맞게 써넣으세요.

$$\frac{3}{10} \times 4\frac{2}{3} \quad \bigcirc \quad 1\frac{1}{8} \times 1\frac{2}{9}$$

개념 32 (자연수)÷(자연수)

개념 동영상 강의

(자연수)÷(자연수)의 몫은 $\dfrac{(자연수)}{(자연수)}$로 나타낼 수 있습니다.

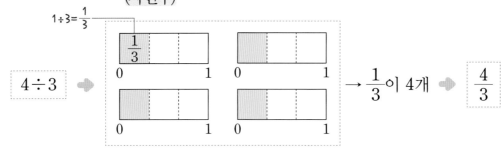

$$4 \div 3 = \dfrac{4}{3} = 1\dfrac{1}{3}$$

🔔 그림을 보고 나눗셈의 몫을 분수로 나타내세요.

1

$$1 \div 7 = \dfrac{\Box}{\Box}$$

2

$$2 \div 5 = \dfrac{\Box}{\Box}$$

3

$$3 \div 2 = \dfrac{\Box}{2} = \Box\dfrac{\Box}{2}$$

개념 적용하기

1 나눗셈을 그림으로 나타내고, 몫을 구하세요.

(1)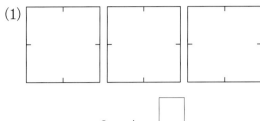

$$3 \div 4 = \frac{\square}{\square}$$

(2)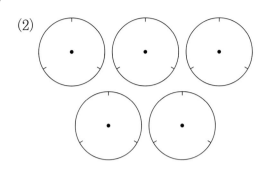

$$5 \div 3 = \frac{\square}{\square} = \square \frac{\square}{\square}$$

2 □ 안에 알맞은 수를 써넣으세요.

(1)

$1 \div 9 = \dfrac{\square}{\square}$ 이고

$4 \div 9$는 $\dfrac{1}{9}$ 이 $\square$ 개이므로

$4 \div 9 = \dfrac{\square}{\square}$ 입니다.

(2)

$1 \div 6 = \dfrac{\square}{\square}$ 이고

$7 \div 6$은 $\dfrac{1}{6}$ 이 $\square$ 개이므로

$7 \div 6 = \dfrac{\square}{\square} = \square \dfrac{\square}{\square}$ 입니다.

3 나눗셈의 몫을 분수로 나타내세요.

(1) $1 \div 8$

(2) $2 \div 7$

(3) $6 \div 11$

(4) $4 \div 5$

(5) $9 \div 4$

(6) $10 \div 3$

개념 33 (진분수) ÷ (자연수)

방법 1 분수의 분자를 자연수로 나눕니다. — 분자가 자연수로 나누어떨어지는 경우 편리한 방법

$$\frac{8}{9} \div 2 = \frac{8 \div 2}{9} = \frac{4}{9}$$

방법 2 분수의 곱셈으로 나타내어 계산합니다. — 분자가 자연수로 나누어떨어지지 않는 경우 편리한 방법

$$\frac{8}{9} \div 2 = \frac{\overset{4}{8}}{9} \times \frac{1}{\underset{1}{2}} = \frac{4}{9}$$

÷(자연수)를 × $\frac{1}{(자연수)}$ 로 바꾸기

그림을 보고 ☐ 안에 알맞은 수를 써넣으세요.

1
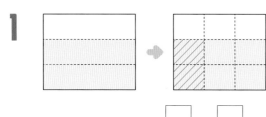

$$\frac{2}{3} \div 3 = \frac{2}{3} \times \frac{\Box}{\Box} = \frac{\Box}{\Box}$$

2
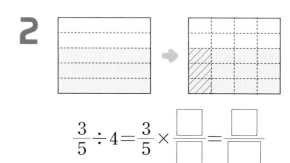

$$\frac{3}{5} \div 4 = \frac{3}{5} \times \frac{\Box}{\Box} = \frac{\Box}{\Box}$$

3

$$\frac{3}{4} \div 2 = \frac{3}{4} \times \frac{\Box}{\Box} = \frac{\Box}{\Box}$$

4

$$\frac{1}{2} \div 5 = \frac{1}{2} \times \frac{\Box}{\Box} = \frac{\Box}{\Box}$$

5
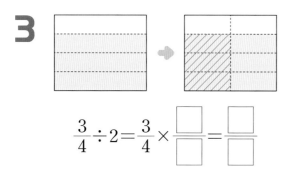

$$\frac{4}{7} \div 3 = \frac{4}{7} \times \frac{\Box}{\Box} = \frac{\Box}{\Box}$$

6
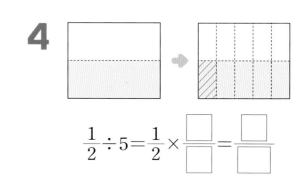

$$\frac{5}{6} \div 2 = \frac{5}{6} \times \frac{\Box}{\Box} = \frac{\Box}{\Box}$$

개념 적용하기

1 ┃보기┃와 같이 수직선을 이용하여 나눗셈의 몫을 구하세요.

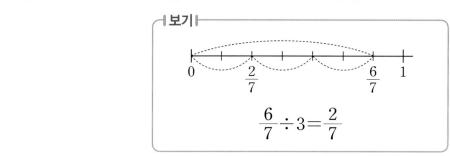

$$\frac{6}{7} \div 3 = \frac{2}{7}$$

(1)

$$\frac{4}{5} \div 2 = \frac{\boxed{}}{\boxed{}}$$

(2)

$$\frac{8}{11} \div 4 = \frac{\boxed{}}{\boxed{}}$$

2 관계있는 것끼리 이으세요.

$\frac{3}{8} \div 2$ •

$\frac{5}{6} \div 8$ •

$\frac{2}{3} \div 7$ •

• $\frac{5}{6} \times \frac{1}{8}$ •

• $\frac{2}{3} \times \frac{1}{7}$ •

• $\frac{3}{8} \times \frac{1}{2}$ •

• $\frac{2}{21}$

• $\frac{5}{48}$

• $\frac{3}{16}$

3 계산을 하세요.

(1) $\frac{4}{9} \div 2$

(2) $\frac{10}{11} \div 5$

(3) $\frac{9}{10} \div 3$

(4) $\frac{3}{4} \div 4$

(5) $\frac{2}{7} \div 9$

(6) $\frac{5}{12} \div 6$

(대분수) ÷ (자연수)

방법 1 대분수를 가분수로 바꾼 다음 분수의 분자를 자연수로 나눕니다.

대분수 → 가분수

$$1\frac{4}{5} \div 3 = \frac{9}{5} \div 3 = \frac{9 \div 3}{5} = \frac{3}{5}$$

방법 2 대분수를 가분수로 바꾼 다음 분수의 곱셈으로 나타내어 계산합니다.

대분수 → 가분수

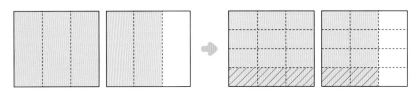

$$1\frac{4}{5} \div 3 = \frac{9}{5} \div 3 = \frac{\overset{3}{9}}{5} \times \frac{1}{\underset{1}{3}} = \frac{3}{5}$$

÷(자연수)를 × $\frac{1}{(자연수)}$ 로 바꾸기

그림을 보고 ☐ 안에 알맞은 수를 써넣으세요.

1

$$1\frac{2}{3} \div 4 = \frac{\boxed{}}{3} \div 4 = \frac{\boxed{}}{3} \times \frac{\boxed{}}{\boxed{}} = \frac{\boxed{}}{\boxed{}}$$

2

$$2\frac{3}{4} \div 3 = \frac{\boxed{}}{4} \div 3 = \frac{\boxed{}}{4} \times \frac{\boxed{}}{\boxed{}} = \frac{\boxed{}}{\boxed{}}$$

3

$$3\frac{1}{2} \div 5 = \frac{\boxed{}}{2} \div 5 = \frac{\boxed{}}{2} \times \frac{\boxed{}}{\boxed{}} = \frac{\boxed{}}{\boxed{}}$$

개념 적용하기

1 그림을 이용하여 나눗셈의 몫을 구하려고 합니다. ☐ 안에 알맞은 수를 써넣으세요.

(1)

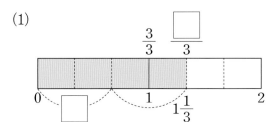

$$1\frac{1}{3} \div 2 = \frac{\boxed{}}{3} \div 2 = \frac{\boxed{}}{3}$$

(2)

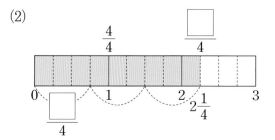

$$2\frac{1}{4} \div 3 = \frac{\boxed{}}{4} \div 3 = \frac{\boxed{}}{4}$$

2 $4\frac{1}{6} \div 5$ 를 2가지 방법으로 계산하려고 합니다. ☐ 안에 알맞은 수를 써넣으세요.

(1) $4\frac{1}{6} \div 5 = \dfrac{\boxed{}}{6} \div 5 = \dfrac{\boxed{} \div 5}{6} = \dfrac{\boxed{}}{\boxed{}}$

(2) $4\frac{1}{6} \div 5 = \dfrac{\boxed{}}{6} \div 5 = \dfrac{\boxed{}}{6} \times \dfrac{1}{\boxed{}} = \dfrac{\boxed{}}{6}$

3 계산을 하세요.

(1) $1\frac{2}{7} \div 3$

(2) $3\frac{1}{5} \div 4$

(3) $4\frac{3}{8} \div 7$

(4) $2\frac{2}{3} \div 9$

(5) $5\frac{3}{4} \div 6$

(6) $3\frac{5}{9} \div 10$

4 빈 곳에 알맞은 수를 써넣으세요.

(1)

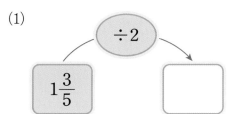

(2)

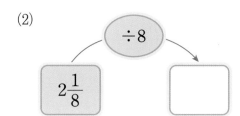

 개념 **35** 분모가 같은 (진분수)÷(진분수)

개념 동영상 강의

분모가 같은 (진분수)÷(진분수)는 분자끼리 나누어 계산합니다.

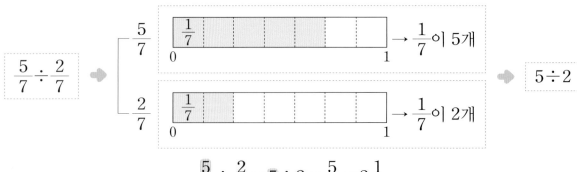

$$\frac{5}{7} \div \frac{2}{7} = 5 \div 2 = \frac{5}{2} = 2\frac{1}{2}$$

🔔 그림을 보고 ☐ 안에 알맞은 수를 써넣으세요.

1

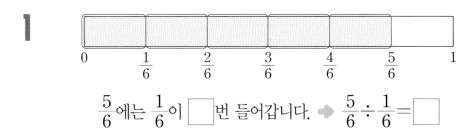

$\frac{5}{6}$ 에는 $\frac{1}{6}$ 이 ☐ 번 들어갑니다. ➡ $\frac{5}{6} \div \frac{1}{6} =$ ☐

2

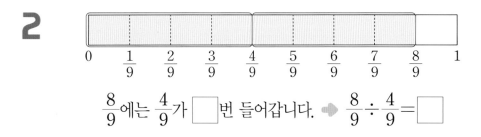

$\frac{8}{9}$ 에는 $\frac{4}{9}$ 가 ☐ 번 들어갑니다. ➡ $\frac{8}{9} \div \frac{4}{9} =$ ☐

3

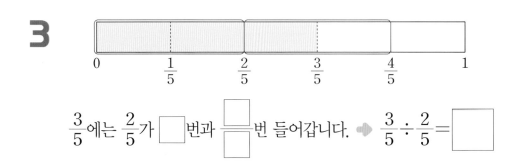

$\frac{3}{5}$ 에는 $\frac{2}{5}$ 가 ☐ 번과 $\frac{☐}{☐}$ 번 들어갑니다. ➡ $\frac{3}{5} \div \frac{2}{5} =$ ☐

개념 적용하기

▶ 정답 25쪽

1 나누어지는 수에 나누는 수가 몇 번 들어가는지 그림에 나타내고, ☐ 안에 알맞은 수를 써넣으세요.

(1)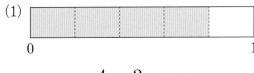

$$\frac{4}{5} \div \frac{2}{5} = \boxed{}$$

(2)

$$\frac{3}{7} \div \frac{2}{7} = \boxed{}$$

2 ☐ 안에 알맞은 수를 써넣으세요.

(1)

$\dfrac{9}{10}$ 는 $\dfrac{1}{10}$ 이 ☐ 개이고

$\dfrac{3}{10}$ 은 $\dfrac{1}{10}$ 이 ☐ 개이므로

$\dfrac{9}{10} \div \dfrac{3}{10} = \boxed{} \div \boxed{} = \boxed{}$ 입니다.

(2)

$\dfrac{7}{8}$ 은 $\dfrac{1}{8}$ 이 ☐ 개이고

$\dfrac{5}{8}$ 는 $\dfrac{1}{8}$ 이 ☐ 개이므로

$\dfrac{7}{8} \div \dfrac{5}{8} = \boxed{} \div \boxed{} = \boxed{}$ 입니다.

3 ☐ 안에 알맞은 수를 써넣으세요.

(1) $\dfrac{10}{13} \div \dfrac{5}{13} = \boxed{} \div \boxed{} = \boxed{}$

(2) $\dfrac{5}{9} \div \dfrac{2}{9} = \boxed{} \div \boxed{} = \dfrac{\boxed{}}{\boxed{}} = \boxed{}$

4 계산을 하세요.

(1) $\dfrac{3}{4} \div \dfrac{1}{4}$

(2) $\dfrac{8}{9} \div \dfrac{2}{9}$

(3) $\dfrac{6}{11} \div \dfrac{3}{11}$

(4) $\dfrac{5}{7} \div \dfrac{4}{7}$

(5) $\dfrac{11}{12} \div \dfrac{5}{12}$

(6) $\dfrac{7}{15} \div \dfrac{13}{15}$

 분모가 다른 (진분수) ÷ (진분수)

방법1 두 분수를 통분한 다음 분자끼리 나눕니다.

$$\frac{2}{3} \div \frac{3}{5} = \frac{10}{15} \div \frac{9}{15} = 10 \div 9 = \frac{10}{9} = 1\frac{1}{9}$$

통분   계산 결과를 대분수로 나타내기

방법2 분수의 곱셈으로 나타내어 계산합니다.

$$\frac{2}{3} \div \frac{3}{5} = \frac{2}{3} \times \frac{5}{3} = \frac{10}{9} = 1\frac{1}{9}$$

나누는 분수의 분모와 분자를   계산 결과를 대분수로 나타내기
바꾸어 분수의 곱셈으로 나타내기

 □ 안에 알맞은 수를 써넣으세요.

1 $\dfrac{4}{7} \div \dfrac{2}{21} = \dfrac{\boxed{}}{21} \div \dfrac{2}{21} = \boxed{} \div \boxed{} = \boxed{}$

2 $\dfrac{5}{6} \div \dfrac{3}{7} = \dfrac{\boxed{}}{42} \div \dfrac{\boxed{}}{42} = \boxed{} \div \boxed{} = \dfrac{\boxed{}}{\boxed{}} = \boxed{}$

3 $\dfrac{2}{3} \div \dfrac{7}{8} = \dfrac{2}{3} \times \dfrac{\boxed{}}{\boxed{}} = \dfrac{\boxed{}}{\boxed{}}$

4 $\dfrac{3}{4} \div \dfrac{2}{5} = \dfrac{3}{4} \times \dfrac{\boxed{}}{\boxed{}} = \dfrac{\boxed{}}{\boxed{}} = \boxed{}$

5 $\dfrac{4}{5} \div \dfrac{5}{9} = \dfrac{4}{5} \times \dfrac{\boxed{}}{\boxed{}} = \dfrac{\boxed{}}{\boxed{}} = \boxed{}$

개념 적용하기

1 그림을 보고 □ 안에 알맞은 수를 써넣으세요.

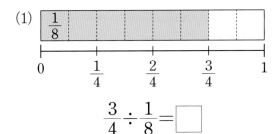

$$\frac{3}{4} \div \frac{1}{8} = \boxed{}$$

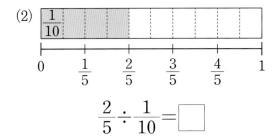

$$\frac{2}{5} \div \frac{1}{10} = \boxed{}$$

2 ┤보기├와 같은 방법으로 계산하세요.

┤보기├

$$\frac{8}{9} \div \frac{5}{6} = \frac{8}{\underset{3}{9}} \times \frac{\overset{2}{6}}{5} = \frac{16}{15} = 1\frac{1}{15}$$

(1) $\dfrac{6}{7} \div \dfrac{4}{5}$

(2) $\dfrac{7}{8} \div \dfrac{3}{10}$

(3) $\dfrac{5}{14} \div \dfrac{7}{12}$

3 계산을 하세요.

(1) $\dfrac{1}{3} \div \dfrac{3}{4}$

(2) $\dfrac{3}{7} \div \dfrac{5}{8}$

(3) $\dfrac{3}{5} \div \dfrac{7}{13}$

(4) $\dfrac{7}{9} \div \dfrac{8}{11}$

(5) $\dfrac{7}{10} \div \dfrac{9}{14}$

(6) $\dfrac{11}{12} \div \dfrac{3}{8}$

방법 1 자연수를 분수의 분자로 나눈 값에 분모를 곱합니다. — 자연수가 분자로 나누어떨어지는 경우 편리한 방법

$$9 \div \frac{3}{4} = (9 \div 3) \times 4 = 3 \times 4 = 12$$

방법 2 분수의 곱셈으로 나타내어 계산합니다. — 자연수가 분자로 나누어떨어지지 않는 경우 편리한 방법

$$9 \div \frac{3}{4} = \overset{3}{9} \times \frac{4}{\underset{1}{3}} = 12$$

나누는 분수의 분모와 분자를 바꾸어 분수의 곱셈으로 나타내기

☐ 안에 알맞은 수를 써넣으세요.

1 $6 \div \dfrac{2}{5} = (6 \div \boxed{}) \times \boxed{} = \boxed{}$

2 $8 \div \dfrac{4}{5} = (8 \div \boxed{}) \times \boxed{} = \boxed{}$

3 $14 \div \dfrac{7}{8} = (14 \div \boxed{}) \times \boxed{} = \boxed{}$

4 $3 \div \dfrac{4}{5} = 3 \times \dfrac{\boxed{}}{\boxed{}} = \dfrac{\boxed{}}{\boxed{}} = \boxed{}$

5 $5 \div \dfrac{2}{3} = 5 \times \dfrac{\boxed{}}{\boxed{}} = \dfrac{\boxed{}}{\boxed{}} = \boxed{}$

6 $7 \div \dfrac{5}{6} = 7 \times \dfrac{\boxed{}}{\boxed{}} = \dfrac{\boxed{}}{\boxed{}} = \boxed{}$

개념 적용하기

▶ 정답 26쪽

1 $15 \div \dfrac{3}{5}$을 바르게 계산한 식에 ○표 하세요.

$$15 \div \dfrac{3}{5} = (15 \div 5) \times 3 = 9$$

(   )

$$15 \div \dfrac{3}{5} = (15 \div 3) \times 5 = 25$$

(   )

2 $4 \div \dfrac{2}{9}$를 2가지 방법으로 계산하세요.

방법 1 자연수를 분수의 분자로 나눈 값에 분모를 곱하기

$$4 \div \dfrac{2}{9}$$

방법 2 분수의 곱셈으로 나타내어 계산하기

$$4 \div \dfrac{2}{9}$$

3 계산을 하세요.

(1) $6 \div \dfrac{3}{4}$

(2) $9 \div \dfrac{3}{8}$

(3) $10 \div \dfrac{5}{7}$

(4) $12 \div \dfrac{4}{5}$

(5) $5 \div \dfrac{6}{11}$

(6) $7 \div \dfrac{2}{3}$

4 □ 안에 알맞은 수를 써넣으세요.

(1)
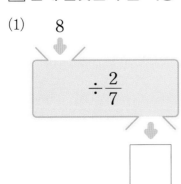

(2)
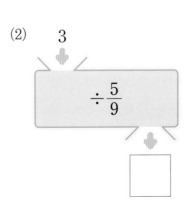

분수의 나눗셈은 다음과 같이 계산합니다. 이때 대분수가 있으면 가분수로 바꾼 다음 계산합니다.

방법 1 두 분수를 통분한 다음 분자끼리 나눕니다.

대분수 → 가분수

$$1\frac{1}{3} \div 1\frac{2}{5} = \frac{4}{3} \div \frac{7}{5} = \frac{20}{15} \div \frac{21}{15} = 20 \div 21 = \frac{20}{21}$$

통분

방법 2 분수의 곱셈으로 나타내어 계산합니다.

대분수 → 가분수

$$1\frac{1}{3} \div 1\frac{2}{5} = \frac{4}{3} \div \frac{7}{5} = \frac{4}{3} \times \frac{5}{7} = \frac{20}{21}$$

나누는 분수의 분모와 분자를 바꾸어 분수의 곱셈으로 나타내기

□ 안에 알맞은 수를 써넣으세요.

1 $\dfrac{8}{7} \div \dfrac{5}{6} = \dfrac{\square}{42} \div \dfrac{\square}{42} = \square \div \square = \dfrac{\square}{\square} = \square$

2 $2\dfrac{3}{5} \div \dfrac{3}{4} = \dfrac{\square}{5} \div \dfrac{3}{4} = \dfrac{\square}{20} \div \dfrac{\square}{20} = \square \div \square = \dfrac{\square}{\square} = \square$

3 $3\dfrac{2}{3} \div \dfrac{7}{8} = \dfrac{\square}{3} \div \dfrac{7}{8} = \dfrac{\square}{3} \times \dfrac{\square}{\square} = \dfrac{\square}{\square} = \square$

4 $1\dfrac{4}{9} \div 3\dfrac{1}{2} = \dfrac{\square}{9} \div \dfrac{\square}{2} = \dfrac{\square}{9} \times \dfrac{\square}{\square} = \dfrac{\square}{\square}$

개념 적용하기

▶ 정답 27쪽

1 보기와 같은 방법으로 계산하세요.

보기

$$2\frac{1}{4} \div \frac{3}{5} = \frac{9}{4} \div \frac{3}{5} = \frac{\overset{3}{9}}{4} \times \frac{5}{\underset{1}{3}} = \frac{15}{4} = 3\frac{3}{4}$$

(1) $1\frac{5}{7} \div \frac{2}{9}$

(2) $3\frac{1}{8} \div \frac{5}{7}$

2 계산을 하세요.

(1) $\frac{5}{2} \div \frac{2}{3}$

(2) $\frac{7}{6} \div \frac{8}{5}$

(3) $2\frac{4}{9} \div \frac{5}{6}$

(4) $3\frac{3}{4} \div \frac{5}{7}$

(5) $1\frac{2}{5} \div 5\frac{1}{4}$

(6) $4\frac{1}{3} \div 1\frac{3}{4}$

3 관계있는 것끼리 이으세요.

$4\frac{3}{8} \div \frac{5}{6}$ · $3\frac{2}{9} \div \frac{2}{3}$ · $2\frac{4}{5} \div 2\frac{1}{6}$ ·

· $1\frac{19}{65}$ · $4\frac{5}{6}$ · $5\frac{1}{4}$

1 나눗셈을 그림으로 나타내고, 몫을 구하세요.

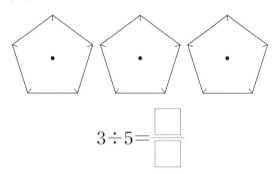

$$3 \div 5 = \dfrac{\square}{\square}$$

2 나눗셈의 몫을 바르게 나타낸 것을 찾아 ○표 하세요.

$2 \div 3 = 3$ $8 \div 7 = \dfrac{7}{8}$ $5 \div 6 = \dfrac{5}{6}$

(   )   (   )   (   )

3 $\dfrac{6}{7} \div 2$를 2가지 방법으로 계산하려고 합니다. □안에 알맞은 수를 써넣으세요.

(1) $\dfrac{6}{7} \div 2 = \dfrac{6 \div \square}{7} = \dfrac{\square}{7}$

(2) $\dfrac{6}{7} \div 2 = \dfrac{6}{7} \times \dfrac{\square}{\square} = \dfrac{\square}{7}$

4 분수의 나눗셈을 잘못 계산한 것입니다. 계산에서 잘못된 부분을 찾아 바르게 계산하세요.

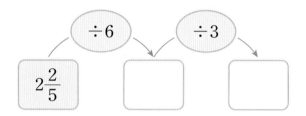

$$1\dfrac{8}{9} \div 2 = 1\dfrac{8 \div 2}{9} = 1\dfrac{4}{9}$$

$1\dfrac{8}{9} \div 2$

5 빈 곳에 알맞은 수를 써넣으세요.

$2\dfrac{2}{5}$ → $\div 6$ → □ → $\div 3$ → □

6 관계있는 것끼리 이으세요.

$\dfrac{4}{5} \div \dfrac{3}{5}$ $\dfrac{5}{11} \div \dfrac{9}{11}$ $\dfrac{7}{8} \div \dfrac{3}{8}$

•   •   •

•   •   •

$7 \div 3$ $4 \div 3$ $5 \div 9$

•   •   •

•   •   •

$2\dfrac{1}{3}$ $\dfrac{5}{9}$ $1\dfrac{1}{3}$

▶ 정답 28쪽

7 계산 결과를 비교하여 ○ 안에 >, =, <
를 알맞게 써넣으세요.

$$\frac{8}{13} \div \frac{5}{13} \quad \bigcirc \quad \frac{8}{9} \div \frac{5}{9}$$

8 □ 안에 알맞은 수를 써넣으세요.

$$\frac{5}{6} \div \frac{3}{5} = \frac{5}{6} \times \frac{\square}{\square} = \frac{\square}{\square} = \square$$

9 큰 수를 작은 수로 나눈 몫을 빈 곳에 써넣으세요.

$\dfrac{7}{8}$	$\dfrac{2}{3}$

10 □ 안에 알맞은 수를 써넣으세요.

$$\square \times \frac{6}{27} = \frac{4}{9}$$

11 【보기】와 같은 방법으로 계산하세요.

┌─【보기】─────────────────┐

$$12 \div \frac{3}{4} = (12 \div 3) \times 4 = 16$$

└──────────────────────┘

$$16 \div \frac{4}{7}$$

12 계산 결과가 큰 것부터 차례로 기호를 쓰세요.

$$\bigcirc\ 9 \div \frac{3}{7} \quad \bigcirc\ 8 \div \frac{2}{5} \quad \bigcirc\ 10 \div \frac{5}{9}$$

(   )

13 계산을 하세요.

(1) $\dfrac{11}{8} \div \dfrac{3}{4}$

(2) $2\dfrac{8}{9} \div 1\dfrac{1}{7}$

14 호떡 한 개를 만드는 데 밀가루 $\dfrac{3}{8}$ 컵이 필요
합니다. 밀가루 $4\dfrac{1}{2}$ 컵으로 만들 수 있는 호
떡은 몇 개일까요?

(   )

쉬어 가기 숨은 그림 찾기

연필, 우산, 부채, 망치, 나사못, 자

학업 성취도 평가

1 색칠한 부분을 분수로 쓰고 읽으세요.

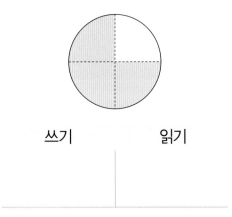

쓰기   읽기

2 주어진 분수에 맞게 색칠한 것을 모두 찾아 ○표 하세요.

$\dfrac{3}{8}$

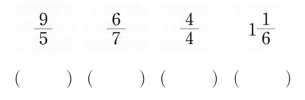

(   )   (   )   (   )

3 진분수는 '진', 가분수는 '가', 대분수는 '대'를 쓰세요.

$\dfrac{9}{5}$ $\dfrac{6}{7}$ $\dfrac{4}{4}$ $1\dfrac{1}{6}$

(   ) (   ) (   ) (   )

4 그림을 보고 가분수를 대분수로 나타내세요.

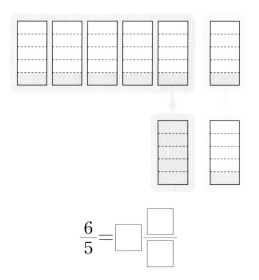

$\dfrac{6}{5}=\boxed{}\dfrac{\boxed{}}{\boxed{}}$

5 분수의 크기를 비교하여 ○ 안에 >, <를 알맞게 써넣으세요.

$\dfrac{5}{7}$ ○ $\dfrac{3}{7}$

6 □ 안에 알맞은 수를 써넣으세요.

$\dfrac{2}{9}$는 $\dfrac{1}{9}$이 □개,

$\dfrac{5}{9}$는 $\dfrac{1}{9}$이 □개이므로

$\dfrac{2}{9}+\dfrac{5}{9}$는 $\dfrac{1}{9}$이 모두 □개입니다.

➡ $\dfrac{2}{9}+\dfrac{5}{9}=\dfrac{\boxed{}}{9}$

7 바르게 계산한 것에 ○표 하세요.

$$\frac{3}{6}+\frac{2}{6}=\frac{3+2}{6+6}=\frac{5}{12}$$ (   )

$$\frac{3}{6}+\frac{2}{6}=\frac{3+2}{6}=\frac{5}{6}$$ (   )

8 ▮보기▮와 같은 방법으로 계산하세요.

▯보기▮

$$2\frac{1}{8}+2\frac{6}{8}=(2+2)+\left(\frac{1}{8}+\frac{6}{8}\right)$$
$$=4+\frac{7}{8}=4\frac{7}{8}$$

$$3\frac{1}{3}+1\frac{1}{3}$$

9 수직선을 보고 ☐ 안에 알맞은 수를 써넣으세요.

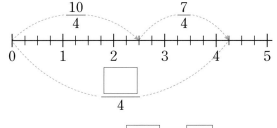

$$2\frac{2}{4}+1\frac{3}{4}=\frac{\boxed{}}{4}+\frac{\boxed{}}{4}$$
$$=\frac{\boxed{}}{4}=\boxed{}\frac{\boxed{}}{4}$$

10 $\frac{4}{5}-\frac{2}{5}$ 를 그림으로 나타내어 뺄셈을 하세요.

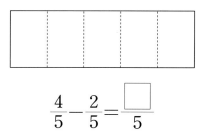

$$\frac{4}{5}-\frac{2}{5}=\frac{\boxed{}}{5}$$

11 ☐ 안에 알맞은 수를 써넣으세요.

$$4\frac{8}{9}-1\frac{4}{9}$$
$$=(\boxed{}-\boxed{})+\left(\frac{\boxed{}}{9}-\frac{\boxed{}}{9}\right)$$
$$=\boxed{}+\frac{\boxed{}}{9}=\boxed{}\frac{\boxed{}}{9}$$

12 계산을 하세요.

$$5-3\frac{2}{9}$$

13 빈 곳에 알맞은 수를 써넣으세요.

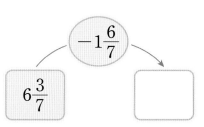

14 ☐ 안에 알맞은 수를 써넣고, 초록색과 파란
색으로 그 수만큼 색칠하세요.

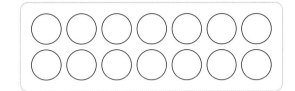

14의 $\dfrac{3}{7}$ 은 초록색 구슬입니다. ◀)) ☐ 개

14의 $\dfrac{4}{7}$ 는 파란색 구슬입니다. ◀)) ☐ 개

15 분수의 크기를 잘못 비교한 사람은 누구일
까요?

> 지효: $\dfrac{1}{6}$ 은 $\dfrac{1}{5}$ 보다 더 커.
>
> 서진: $\dfrac{5}{3}$ 는 $2\dfrac{1}{3}$ 보다 더 작아.

(   )

16 빈 곳에 알맞은 수를 써넣으세요.

$\xrightarrow{\ +\ }$

$\dfrac{2}{3}$	$\dfrac{1}{3}$	
$\dfrac{3}{5}$	$\dfrac{4}{5}$	

17 관계있는 것끼리 이으세요.

$1\dfrac{4}{9}+2\dfrac{7}{9}$ •

$2\dfrac{8}{9}+2\dfrac{5}{9}$ •

$3\dfrac{1}{9}+1\dfrac{4}{9}$ •

• $5\dfrac{4}{9}$

• $4\dfrac{2}{9}$

• $4\dfrac{5}{9}$

18 두 분수의 차를 구하세요.

$\dfrac{7}{10}$ $\dfrac{4}{10}$

(   )

19 계산 결과가 $1\dfrac{5}{11}$ 인 칸을 모두 찾아 색칠하
세요.

$4\dfrac{10}{11}-3\dfrac{5}{11}$	$7\dfrac{7}{11}-5\dfrac{2}{11}$
$6\dfrac{1}{11}-4\dfrac{7}{11}$	$8\dfrac{2}{11}-7\dfrac{8}{11}$

▶ 정답 29쪽

20 가장 큰 분수에 ○표, 가장 작은 분수에 △표 하세요.

$$\frac{11}{9} \qquad 1\frac{5}{9} \qquad \frac{15}{9} \qquad \frac{7}{9}$$

21 수 카드 중에서 한 장을 골라 그 수를 분모로 하는 단위분수를 만들려고 합니다. 만들 수 있는 가장 큰 단위분수를 구하세요.

$$\boxed{3} \quad \boxed{4} \quad \boxed{6} \quad \boxed{9}$$

( )

22 가장 큰 분수와 가장 작은 분수의 합을 구하세요.

$$\frac{5}{7} \qquad \frac{6}{7} \qquad \frac{4}{7} \qquad \frac{3}{7}$$

( )

23 계산 결과가 더 큰 것의 기호를 쓰세요.

$$㉠\ 5\frac{1}{13} + 3\frac{4}{13} \qquad ㉡\ 2\frac{5}{13} + 6\frac{2}{13}$$

( )

24 냉장고에 오렌지주스는 3 L 있고, 사과주스는 $2\frac{2}{5}$ L 있습니다. 오렌지주스는 사과주스보다 몇 L 더 많은가요?

( )

25 계산 결과가 2와 3 사이인 뺄셈식을 모두 찾아 ○표 하세요.

$$5\frac{2}{9} - \frac{25}{9} \qquad 4\frac{1}{6} - 2\frac{2}{6} \qquad 9\frac{2}{4} - 6\frac{3}{4}$$

1 색칠한 부분을 분수로 나타내려고 합니다. ☐ 안에 알맞은 수를 써넣으세요.

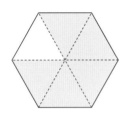

색칠한 부분은 전체를 똑같이 ☐ (으)로

나눈 것 중의 ☐ 이므로 $\frac{☐}{☐}$ 입니다.

2 그림을 보고 ☐ 안에 알맞은 수를 써넣으세요.

25 cm의 $\frac{2}{5}$ 는 ☐ cm입니다.

3 두 분수의 합만큼 그림에 색칠하고, ☐ 안에 알맞은 수를 써넣으세요.

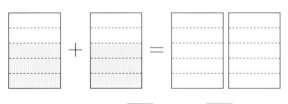

$\frac{3}{5} + \frac{3}{5} = \frac{☐}{5} = ☐\frac{☐}{5}$

4 ☐ 안에 알맞은 수를 써넣으세요.

$1\frac{3}{7} + 2\frac{2}{7}$

$= (☐ + ☐) + \left(\frac{☐}{7} + \frac{☐}{7}\right)$

$= ☐ + \frac{☐}{7} = ☐\frac{☐}{7}$

5 수직선을 보고 ☐ 안에 알맞은 수를 써넣으세요.

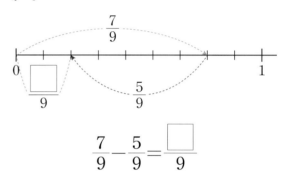

$\frac{7}{9} - \frac{5}{9} = \frac{☐}{9}$

6 ☐ 안에 알맞은 수를 써넣으세요.

2는 $\frac{1}{4}$ 이 ☐ 개,

$1\frac{3}{4}$ 은 $\frac{1}{4}$ 이 ☐ 개이므로

$2 - 1\frac{3}{4}$ 은 $\frac{1}{4}$ 이 ☐ 개입니다.

➡ $2 - 1\frac{3}{4} = \frac{☐}{4}$

7 분수만큼 수직선에 표시하고, 크기가 같은 분수를 쓰세요.

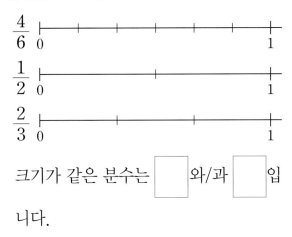

크기가 같은 분수는 ☐ 와/과 ☐ 입

니다.

8 약분한 분수를 모두 쓰세요.

$\dfrac{20}{28}$ ➡ (   )

9 두 분수를 통분하여 크기를 비교하세요.

$\left(\dfrac{4}{5}, \dfrac{6}{7}\right)$ ➡ $\left(\dfrac{\square}{\square}, \dfrac{\square}{\square}\right)$

➡ $\dfrac{4}{5}$ ◯ $\dfrac{6}{7}$

10 계산을 하세요.

$2\dfrac{1}{4}+5\dfrac{2}{3}$

11 $4\dfrac{7}{8}-2\dfrac{1}{2}$ 을 2가지 방법으로 계산하세요.

방법 1 자연수 부분끼리 빼고 진분수 부분끼리 빼기

방법 2 대분수를 가분수로 나타내어 빼기

12 ☐ 안에 알맞은 수를 써넣으세요.

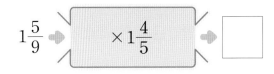

$1\dfrac{5}{9}$ ➡ [$\times 1\dfrac{4}{5}$] ➡ ☐

13 그림을 보고 ☐ 안에 알맞은 수를 써넣으세요.

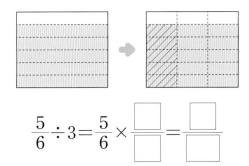

$\dfrac{5}{6} \div 3 = \dfrac{5}{6} \times \dfrac{\square}{\square} = \dfrac{\square}{\square}$

14 두 분수의 크기를 비교하여 더 큰 분수에 ○표 하고, 더 큰 분수를 가분수로 나타내세요.

$$2\frac{5}{8} \qquad 3\frac{3}{8} \quad \blacktriangleright \quad \boxed{}$$

15 계산 결과가 다른 하나를 찾아 색칠하세요.

$$\boxed{6\frac{2}{9} - 3\frac{6}{9}} \qquad \boxed{5\frac{8}{9} - 2\frac{3}{9}} \qquad \boxed{4\frac{1}{9} - 1\frac{5}{9}}$$

16 빈 곳에 알맞은 수를 써넣으세요.

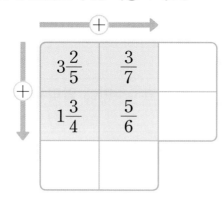

17 잘못 계산한 사람은 누구일까요?

$$\text{하로: } 4\frac{1}{2} - 1\frac{6}{7} = 2\frac{9}{14}$$

$$\text{시윤: } 7\frac{2}{3} - 3\frac{4}{5} = 4\frac{13}{15}$$

(   )

18 계산 결과가 같은 것끼리 이으세요.

$$\frac{4}{5} \times 3 \quad \bullet \qquad\qquad \bullet \quad \frac{23}{5} \times 6$$

$$1\frac{1}{3} \times 7 \quad \bullet \qquad\qquad \bullet \quad \frac{4}{3} \times 7$$

$$2\frac{3}{10} \times 12 \quad \bullet \qquad\qquad \bullet \quad \frac{3}{5} \times 4$$

19 자연수는 분수의 몇 배일까요?

$$18 \qquad \frac{9}{11}$$

(   )

20 계산 결과를 비교하여 ○ 안에 >, =, < 를 알맞게 써넣으세요.

$$2\frac{2}{7}+3\frac{6}{7} \quad \bigcirc \quad 4\frac{5}{7}+1\frac{4}{7}$$

21 소라가 분수의 덧셈을 잘못 계산한 것입니다. 처음 잘못 계산한 부분을 찾아 ○표 하고, 바르게 계산하세요.

$$\frac{3}{8}+\frac{2}{5}=\frac{3\times2}{8\times5}+\frac{2\times8}{5\times8}=\frac{6}{40}+\frac{16}{40}$$
$$=\frac{22}{40}=\frac{11}{20}$$

$$\frac{3}{8}+\frac{2}{5}$$

22 두 가방 무게의 차는 몇 kg일까요?

$\frac{7}{10}$ kg

$\frac{1}{4}$ kg

( )

23 학교 도서관에 있는 전체 책의 $\frac{7}{8}$ 은 아동 도서이고, 그중 $\frac{2}{3}$ 는 동화책입니다. 동화책은 학교 도서관에 있는 전체 책의 얼마인가요?

( )

24 몫이 자연수인 나눗셈식을 모두 찾아 ○표 하세요.

$$\frac{3}{4}\div\frac{9}{20} \qquad \frac{8}{15}\div\frac{2}{15} \qquad \frac{4}{5}\div\frac{2}{25}$$

( ) ( ) ( )

25 계산 결과가 작은 것부터 차례로 기호를 쓰세요.

㉠ $\frac{5}{3}\div\frac{7}{6}$

㉡ $1\frac{5}{9}\div\frac{7}{10}$

㉢ $2\frac{2}{7}\div2\frac{2}{5}$

( )

MEMO

38개 개념으로 한 번에 끝내는

초능력 수학 연산 분수

정답 및 풀이

동아출판

차례

개념 01 분수 쓰고 읽기

피자 한 판을 똑같이 4조각으로 나눈 것 중의 1조각을 분수로 나타내면 다음과 같습니다.

→ $\frac{1}{4}$ — 분자: 부분의 수
분모: 전체를 똑같이 나눈 수

전체를 똑같이 4로 나눈 것 중의 1을 $\frac{1}{4}$이라 쓰고, 4분의 1이라고 읽습니다.

색칠한 부분을 분수로 나타내려고 합니다. □ 안에 알맞은 수를 써넣으세요.

1. 색칠한 부분은 전체를 똑같이 **3**(으)로 나눈 것 중의 **1**이므로 $\frac{1}{3}$입니다.

2. 색칠한 부분은 전체를 똑같이 **5**(으)로 나눈 것 중의 **2**이므로 $\frac{2}{5}$입니다.

3. 색칠한 부분은 전체를 똑같이 **8**(으)로 나눈 것 중의 **7**이므로 $\frac{7}{8}$입니다.

4. 색칠한 부분은 전체를 똑같이 **9**(으)로 나눈 것 중의 **4**이므로 $\frac{4}{9}$입니다.

12 분수

개념 적용하기

1. 설명하는 부분만큼 알맞게 색칠하고, 분수로 나타내세요.
(1) 전체를 똑같이 2로 나눈 것 중의 1 $\frac{1}{2}$
(2) 전체를 똑같이 3으로 나눈 것 중의 2 $\frac{2}{3}$
(3) 전체를 똑같이 5로 나눈 것 중의 4 $\frac{4}{5}$
(4) 전체를 똑같이 6으로 나눈 것 중의 1 $\frac{1}{6}$

2. 색칠한 부분을 분수로 쓰고 읽으세요.
(1) 쓰기 $\frac{5}{6}$ 읽기 6분의 5
(2) 쓰기 $\frac{3}{4}$ 읽기 4분의 3
(3) 쓰기 $\frac{2}{3}$ 읽기 3분의 2
(4) 쓰기 $\frac{7}{9}$ 읽기 9분의 7

3. 색칠한 부분과 색칠하지 않은 부분을 각각 분수로 나타내세요.
 색칠한 부분은 전체의 $\frac{3}{8}$이고, 색칠하지 않은 부분은 전체의 $\frac{5}{8}$입니다.

1. 분수의 기초 13

개념 02 분수만큼 구하기

마카롱 8개를 4묶음으로 똑같이 나누면 1묶음은 전체 묶음의 $\frac{1}{4}$입니다.
➡ 8의 $\frac{1}{4}$은 4묶음 중의 1묶음이므로 2입니다. —1묶음에는 마카롱 2개가 있습니다.
➡ 8의 $\frac{2}{4}$는 4묶음 중의 2묶음이므로 4입니다. —2묶음에는 마카롱이 2×2=4(개) 있습니다.

그림을 보고 □ 안에 알맞은 수를 써넣으세요.

1. 10의 $\frac{1}{5}$은 **2**입니다.
2. 6의 $\frac{2}{3}$는 **4**입니다.
3. 8의 $\frac{1}{2}$은 **4**입니다.
4. 12의 $\frac{3}{4}$는 **9**입니다.
5. 9의 $\frac{1}{3}$은 **3**입니다.
6.  15의 $\frac{2}{5}$는 **6**입니다.

14 분수

개념 적용하기

1. 그림을 보고 □ 안에 알맞은 수를 써넣으세요.
(1)  6의 $\frac{1}{2}$은 **3**입니다.
(2)  12의 $\frac{2}{3}$는 **8**입니다.
(3) 16의 $\frac{1}{2}$은 **8**입니다. 16의 $\frac{3}{8}$은 **6**입니다.
(4) 18의 $\frac{5}{6}$는 **15**입니다. 18의 $\frac{4}{9}$는 **8**입니다.

2. 그림을 보고 □ 안에 알맞은 수를 써넣으세요.

20 cm의 $\frac{1}{4}$은 **5** cm입니다.
20 cm의 $\frac{3}{4}$은 **15** cm입니다.

3. □ 안에 알맞은 수를 써넣으세요.
(1) 9의 $\frac{2}{3}$는 **6** (2) 15의 $\frac{1}{3}$은 **5**
(3) 14의 $\frac{3}{7}$은 **6** (4) 24의 $\frac{5}{6}$는 **20**
(5) 28의 $\frac{3}{4}$은 **21** (6) 35의 $\frac{2}{5}$는 **14**

1. 분수의 기초 15

정답 1

개념 03 진분수, 가분수, 대분수

분수
- 진분수: 분자가 분모보다 작은 분수
  예 $\frac{2}{3}$
- 가분수: 분자가 분모와 같거나 분모보다 큰 분수
  예 $\frac{3}{3}$, $\frac{4}{3}$
- 대분수: 자연수와 진분수로 이루어진 분수
  예 $1\frac{1}{3}$ — 1과 3분의 1이라고 읽습니다.

참고 자연수 1은 분모와 분자가 같은 가분수로 나타낼 수 있습니다. ➡ $1 = \frac{2}{2} = \frac{3}{3} = \frac{4}{4} = \frac{5}{5} \cdots$

분수만큼 색칠하고, 알맞은 분수에 ○표 하세요.

1 $\frac{2}{5}$ ➡ (진분수 . 가분수 . 대분수)

2 $\frac{6}{6}$ ➡ (진분수 . 가분수 . 대분수)

3 $\frac{7}{10}$ ➡ (진분수 . 가분수 . 대분수)

4 $\frac{11}{8}$ ➡ (진분수 . 가분수 . 대분수)

5 $1\frac{3}{4}$ ➡ (진분수 . 가분수 . 대분수)

16 분수

개념 적용하기
▶ 정답 2쪽
월   일

1 그림을 보고 □ 안에 알맞은 수를 써넣으세요.

$\frac{1}{5}$
$\frac{7}{5}$

2 진분수는 '진', 가분수는 '가'를 쓰세요.

$\frac{3}{4}$ $\frac{7}{7}$ $\frac{8}{9}$ $\frac{11}{6}$ $\frac{3}{2}$

(진) (가) (진) (가) (가)

3 보기를 보고 오른쪽 그림을 대분수로 나타내세요.
보기

1
$2\frac{1}{4}$

4 가분수는 빨간색, 대분수는 파란색으로 색칠하세요.

$\frac{9}{9}$ $2\frac{1}{2}$ $\frac{4}{5}$ $5\frac{2}{7}$ $3\frac{5}{6}$ $1\frac{3}{10}$ $\frac{15}{8}$ $\frac{5}{3}$

1. 분수의 기초 17

개념 04 대분수를 가분수로, 가분수를 대분수로 나타내기

- 대분수를 가분수로 나타내기
  $1\frac{3}{4}$ ➡ 1과 $\frac{3}{4}$ ➡ $\frac{4}{4}$와 $\frac{3}{4}$ ➡ $\frac{1}{4}$이 7개 ➡ $\frac{7}{4}$
  1을 분모가 4인 가분수로 나타내기

- 가분수를 대분수로 나타내기
  $\frac{7}{4}$ ➡ $\frac{4}{4}$와 $\frac{3}{4}$ ➡ 1과 $\frac{3}{4}$ ➡ $1\frac{3}{4}$
  $\frac{4}{4}$를 자연수로 나타내기

그림을 보고 대분수는 가분수로, 가분수는 대분수로 나타내세요.

1 $1\frac{1}{2} = \frac{3}{2}$

2 $2\frac{1}{4} = \frac{9}{4}$

3 $2\frac{2}{5} = \frac{12}{5}$

4 $3\frac{1}{6} = \frac{19}{6}$

5 $\frac{5}{3} = 1\frac{2}{3}$

6 $\frac{7}{2} = 3\frac{1}{2}$

18 분수

개념 적용하기
▶ 정답 2쪽
월   일

1 주어진 가분수만큼 앞에서부터 차례로 색칠하고, 대분수로 나타내세요.
(1) $\frac{9}{4}$ ➡ $2\frac{1}{4}$
(2) $\frac{13}{8}$ ➡ $1\frac{5}{8}$
(3) $\frac{11}{5}$ ➡ $2\frac{1}{5}$

2 대분수는 가분수로, 가분수는 대분수로 나타내세요.
(1) $1\frac{2}{7} = \frac{9}{7}$
(2) $3\frac{1}{8} = \frac{25}{8}$
(3) $4\frac{2}{3} = \frac{14}{3}$
(4) $\frac{8}{5} = 1\frac{3}{5}$
(5) $\frac{13}{6} = 2\frac{1}{6}$
(6) $\frac{15}{2} = 7\frac{1}{2}$

3 대분수를 가분수로, 가분수를 대분수로 나타낸 것을 찾아 이으세요.
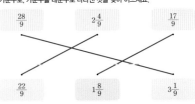
$\frac{28}{9}$ $2\frac{4}{9}$ $\frac{17}{9}$

$\frac{22}{9}$ $1\frac{8}{9}$ $3\frac{1}{9}$

1. 분수의 기초 19

2 분수

개념 05 분모가 같은 분수의 크기 비교

- 분모가 같은 진분수, 가분수의 크기 비교
  분자가 클수록 큰 수입니다.
  $$\frac{2}{5} < \frac{3}{5} \qquad \frac{4}{3} < \frac{7}{3}$$

- 분모가 같은 대분수의 크기 비교
  자연수가 클수록 큰 수입니다. 자연수가 같으면 분자가 클수록 큰 수입니다.
  $$2\frac{1}{4} > 1\frac{3}{4} \qquad 1\frac{1}{6} < 1\frac{5}{6}$$

- 분모가 같은 가분수와 대분수의 크기 비교
  분수를 모두 가분수 또는 대분수로 나타내어 크기를 비교합니다.
  $$3\frac{1}{2}과 \frac{5}{2}의 비교 \Rightarrow \frac{7}{2} > \frac{5}{2} \qquad 3\frac{1}{2}과 \frac{5}{2}의 비교 \Rightarrow 3\frac{1}{2} > 2\frac{1}{2}$$
  대분수 → 가분수   가분수 → 대분수

⭐ 그림을 보고 분수의 크기를 비교하여 ○ 안에 >, <를 알맞게 써넣으세요.

1 $\frac{5}{8} \,\gt\, \frac{3}{8}$

2 $\frac{5}{4} \,\lt\, \frac{7}{4}$

3  $2\frac{1}{3} \,\gt\, 1\frac{2}{3}$

4 $2\frac{2}{5} \,\lt\, 2\frac{4}{5}$

개념 적용하기

▶ 정답 3쪽

1 분수의 크기를 비교하여 ○ 안에 >, <를 알맞게 써넣고, 알맞은 말에 ○표 하세요.

(1) $\frac{9}{7} \,\lt\, \frac{11}{7}$ | 분자의 크기를 비교하면 $\frac{9}{7}$가 $\frac{11}{7}$보다 더 (큽니다 . (작습니다)).

(2) $2\frac{3}{10} \,\gt\, 2\frac{1}{10}$ | 자연수 부분이 같으므로 분자의 크기를 비교하면 $2\frac{3}{10}$이 $2\frac{1}{10}$보다 더 ((큽니다) . 작습니다).

(3) $1\frac{7}{8} \,\lt\, \frac{17}{8}$ | 대분수를 가분수로 바꾸어 분자의 크기를 비교하거나 가분수를 대분수로 바꾸어 자연수 부분의 크기를 비교하면 $1\frac{7}{8}$이 $\frac{17}{8}$보다 더 (큽니다 . (작습니다)).

2 분수의 크기를 비교하여 ○ 안에 >, =, <를 알맞게 써넣으세요.

(1) $\frac{1}{5} \,\lt\, \frac{3}{5}$ (2) $\frac{9}{4} \,\lt\, \frac{13}{4}$

(3) $5\frac{1}{6} \,\gt\, 3\frac{5}{6}$ (4) $4\frac{2}{3} \,\gt\, 4\frac{1}{3}$

(5) $2\frac{2}{9} \,=\, \frac{20}{9}$ (6) $\frac{19}{12} \,\gt\, 1\frac{5}{12}$

3 가장 큰 분수에 ○표, 가장 작은 분수에 △표 하세요.

(1) $\frac{15}{8}$ $1\frac{5}{8}$ $\triangle\frac{3}{8}$ $\left(2\frac{1}{8}\right)$

(2) $2\frac{1}{5}$ $\left(\frac{5}{5}\right)$ $\left(\frac{13}{5}\right)$ $1\frac{4}{5}$

개념 06 단위분수의 크기 비교

- 단위분수: 분수 중에서 $\frac{1}{2}$, $\frac{1}{3}$, $\frac{1}{4}$ ……과 같이 분자가 1인 분수
- 단위분수의 크기 비교: 분모가 작을수록 큰 수입니다.

   $\Rightarrow$ $\frac{1}{3} > \frac{1}{5}$

⭐ 그림을 보고 알맞은 말에 ○표 하세요.

1
$\frac{1}{2}$
$\frac{1}{4}$
$\frac{1}{2}$은 $\frac{1}{4}$보다 더 ((큽니다) . 작습니다).

2
$\frac{1}{7}$
$\frac{1}{6}$
$\frac{1}{7}$은 $\frac{1}{6}$보다 더 (큽니다 . (작습니다)).

3
$\frac{1}{8}$
$\frac{1}{5}$
$\frac{1}{8}$은 $\frac{1}{5}$보다 더 (큽니다 . (작습니다)).

개념 적용하기

▶ 정답 3쪽

1 똑같이 나누어 주어진 분수만큼 색칠하고, ○ 안에 >, <를 알맞게 써넣으세요.

(1) $\frac{1}{6} \,\lt\, \frac{1}{2}$ (2) $\frac{1}{3} \,\gt\, \frac{1}{6}$

(3) $\frac{1}{4} \,\gt\, \frac{1}{8}$ (4) $\frac{1}{2} \,\gt\, \frac{1}{8}$

2 분수의 크기를 비교하여 ○ 안에 >, <를 알맞게 써넣으세요.

(1) $\frac{1}{5} \,\lt\, \frac{1}{4}$ (2) $\frac{1}{3} \,\lt\, \frac{1}{2}$

(3) $\frac{1}{6} \,\gt\, \frac{1}{8}$ (4) $\frac{1}{9} \,\lt\, \frac{1}{7}$

(5) $\frac{1}{12} \,\lt\, \frac{1}{11}$ (6) $\frac{1}{5} \,\gt\, \frac{1}{10}$

3 $\frac{1}{7}$보다 작은 분수를 모두 찾아 ○표 하세요.

$\frac{1}{4}$ $\left(\frac{1}{8}\right)$ $\frac{1}{5}$ $\left(\frac{1}{15}\right)$

4 $\frac{1}{9}$보다 큰 분수를 모두 찾아 ○표 하세요.

$\frac{1}{12}$ $\left(\frac{1}{6}\right)$ $\left(\frac{1}{2}\right)$ $\frac{1}{10}$

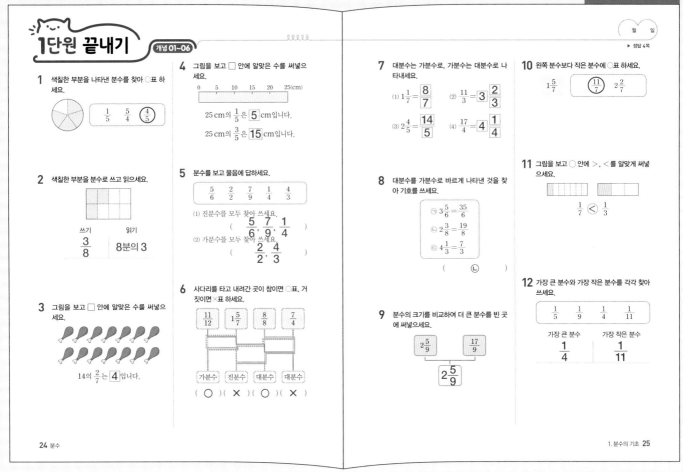

1 색칠한 부분은 전체를 똑같이 5로 나눈 것 중의 4이므로 $\frac{4}{5}$입니다.

2 색칠한 부분은 전체를 똑같이 8로 나눈 것 중의 3이므로 $\frac{3}{8}$이라 쓰고, 8분의 3이라고 읽습니다.

3 14를 7묶음으로 똑같이 나눈 것 중의 2묶음이므로 4입니다.

4 25 cm를 똑같이 5로 나눈 것 중의 1은 5 cm, 25 cm를 똑같이 5로 나눈 것 중의 3은 15 cm입니다.

5 (1) 분자가 분모보다 작은 분수를 모두 찾으면 $\frac{5}{6}$, $\frac{7}{9}$, $\frac{1}{4}$입니다.

(2) 분자가 분모와 같거나 분모보다 큰 분수를 모두 찾으면 $\frac{2}{2}$, $\frac{4}{3}$입니다.

6 · $\frac{11}{12}$은 분자가 분모보다 작으므로 진분수입니다.

· $\frac{8}{8}$은 분자가 분모와 같으므로 가분수입니다.

7 (1) $1\frac{1}{7}$에서 1을 $\frac{7}{7}$로 나타내면 $1\frac{1}{7}=\frac{8}{7}$입니다.

(2) $\frac{11}{3}$에서 $\frac{9}{3}$를 3으로 나타내면 $\frac{11}{3}=3\frac{2}{3}$입니다.

8 ㉠ $3\frac{5}{6}=\frac{23}{6}$ ㉢ $4\frac{1}{3}=\frac{13}{3}$

9 $\frac{17}{9}$에서 $\frac{9}{9}$를 1로 나타내면 1과 $\frac{8}{9}$이므로 $\frac{17}{9}=1\frac{8}{9}$입니다.

➡ $2\frac{5}{9}>\frac{17}{9}\left(=1\frac{8}{9}\right)$

10 $\frac{11}{7}$에서 $\frac{7}{7}$을 1로 나타내면 1과 $\frac{4}{7}$이므로 $\frac{11}{7}=1\frac{4}{7}$입니다.

➡ $\frac{11}{7}\left(=1\frac{4}{7}\right)<1\frac{5}{7}<2\frac{2}{7}$

11 색칠한 부분을 비교하면 $\frac{1}{7}$은 $\frac{1}{3}$보다 더 작습니다.

12 모두 단위분수이므로 분모의 크기를 비교합니다.

$4<5<9<11$ ➡ $\frac{1}{4}>\frac{1}{5}>\frac{1}{9}>\frac{1}{11}$

4 분수

개념 07 받아올림이 없는 진분수의 덧셈

분모가 같은 진분수의 덧셈은 분모는 그대로 두고 분자끼리 더합니다.

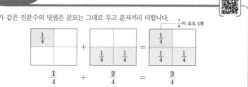

$\frac{1}{4}$ 이 모두 3개

$$\frac{1}{4} + \frac{2}{4} = \frac{3}{4}$$

두 분수의 합만큼 그림에 색칠하고, □안에 알맞은 수를 써넣으세요.

1
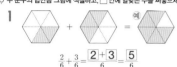
$$\frac{2}{6} + \frac{3}{6} = \frac{2+3}{6} = \frac{5}{6}$$

2

$$\frac{2}{5} + \frac{1}{5} = \frac{2+1}{5} = \frac{3}{5}$$

3
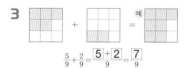
$$\frac{5}{9} + \frac{2}{9} = \frac{5+2}{9} = \frac{7}{9}$$

28 분수

월 일

개념 적용하기

▶ 정답 5쪽

1 보기와 같이 그림으로 나타내어 덧셈을 하세요.

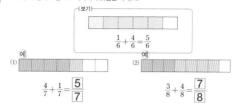

┌─보기─┐
$$\frac{1}{6} + \frac{4}{6} = \frac{5}{6}$$

(1) 예
$$\frac{4}{7} + \frac{1}{7} = \frac{5}{7}$$

(2) 예
$$\frac{3}{8} + \frac{4}{8} = \frac{7}{8}$$

2 □안에 알맞은 수를 써넣으세요.

(1) $\frac{2}{9}$ 는 $\frac{1}{9}$ 이 2 개,
$\frac{3}{9}$ 은 $\frac{1}{9}$ 이 3 개이므로
$\frac{2}{9} + \frac{3}{9}$ 은 $\frac{1}{9}$ 이 모두 5 개입니다.
➡ $\frac{2}{9} + \frac{3}{9} = \frac{5}{9}$

(2) $\frac{5}{11}$ 는 $\frac{1}{11}$ 이 5 개,
$\frac{4}{11}$ 는 $\frac{1}{11}$ 이 4 개이므로
$\frac{5}{11} + \frac{4}{11}$ 는 $\frac{1}{11}$ 이 모두 9 개입니다.
➡ $\frac{5}{11} + \frac{4}{11} = \frac{9}{11}$

3 계산을 하세요.

(1) $\frac{1}{3} + \frac{1}{3} = \frac{2}{3}$

(2) $\frac{2}{5} + \frac{2}{5} = \frac{4}{5}$

(3) $\frac{3}{9} + \frac{4}{9} = \frac{7}{9}$

(4) $\frac{1}{7} + \frac{2}{7} = \frac{3}{7}$

(5) $\frac{2}{8} + \frac{3}{8} = \frac{5}{8}$

(6) $\frac{5}{10} + \frac{2}{10} = \frac{7}{10}$

2. 분모가 같은 분수의 덧셈 29

개념 08 받아올림이 있는 진분수의 덧셈

분모가 같은 진분수의 덧셈에서 계산 결과가 가분수이면 대분수로 바꾸어 나타냅니다.

$$\frac{4}{5} + \frac{3}{5} = \frac{7}{5} = 1\frac{2}{5}$$

계산 결과를 대분수로 나타내기

두 분수의 합만큼 그림에 색칠하고, □안에 알맞은 수를 써넣으세요.

1
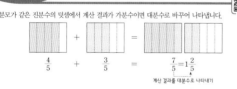
$$\frac{2}{4} + \frac{3}{4} = \frac{2+3}{4} = \frac{5}{4} = 1\frac{1}{4}$$

2
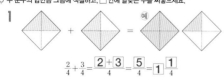
$$\frac{4}{6} + \frac{3}{6} = \frac{4+3}{6} = \frac{7}{6} = 1\frac{1}{6}$$

3
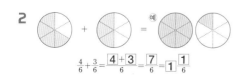
$$\frac{4}{8} + \frac{7}{8} = \frac{4+7}{8} = \frac{11}{8} = 1\frac{3}{8}$$

30 분수

월 일

개념 적용하기

▶ 정답 5쪽

1 수직선을 보고 □안에 알맞은 수를 써넣으세요.

(1)
$$\frac{2}{3} + \frac{2}{3} = \frac{4}{3} = 1\frac{1}{3}$$

(2)
$$\frac{4}{5} + \frac{4}{5} = \frac{8}{5} = 1\frac{3}{5}$$

2 □안에 알맞은 수를 써넣으세요.

(1) $\frac{5}{8} + \frac{4}{8} = \frac{5+4}{8} = \frac{9}{8} = 1\frac{1}{8}$

(2) $\frac{8}{12} + \frac{9}{12} = \frac{8+9}{12} = \frac{17}{12} = 1\frac{5}{12}$

3 계산을 하세요.

(1) $\frac{3}{4} + \frac{1}{4} = 1$

(2) $\frac{5}{7} + \frac{4}{7} = 1\frac{2}{7}$

(3) $\frac{7}{8} + \frac{2}{8} = 1\frac{1}{8}$

(4) $\frac{8}{9} + \frac{3}{9} = 1\frac{2}{9}$

(5) $\frac{2}{6} + \frac{5}{6} = 1\frac{1}{6}$

(6) $\frac{6}{11} + \frac{9}{11} = 1\frac{4}{11}$

4 빈 곳에 알맞은 수를 써넣으세요.

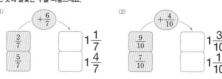

(1) $+\frac{6}{7}$
$\frac{2}{7}$ → $1\frac{1}{7}$
$\frac{5}{7}$ → $1\frac{4}{7}$

(2) $+\frac{4}{10}$
$\frac{9}{10}$ → $1\frac{3}{10}$
$\frac{7}{10}$ → $1\frac{1}{10}$

2. 분모가 같은 분수의 덧셈 31

정답 **5**

개념 09 받아올림이 없는 대분수의 덧셈

분모가 같은 대분수의 덧셈은 자연수 부분끼리 더하고 진분수 부분끼리 더합니다.

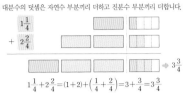

$$1\frac{1}{4}+2\frac{2}{4}=(1+2)+\left(\frac{1}{4}+\frac{2}{4}\right)=3+\frac{3}{4}=3\frac{3}{4}$$

그림을 보고 □ 안에 알맞은 수를 써넣으세요.

1

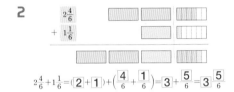

$$1\frac{1}{3}+1\frac{1}{3}=(\boxed{1}+\boxed{1})+\left(\frac{1}{3}+\frac{1}{3}\right)=\boxed{2}+\frac{\boxed{2}}{3}=2\frac{\boxed{2}}{3}$$

2

$$2\frac{4}{6}+1\frac{1}{6}=(\boxed{2}+\boxed{1})+\left(\frac{4}{6}+\frac{1}{6}\right)=\boxed{3}+\frac{\boxed{5}}{6}=3\frac{\boxed{5}}{6}$$

32 분수

월 일

개념 적용하기 ▶ 정답 6쪽

1 두 분수의 합만큼 그림에 색칠하고, □ 안에 알맞은 수를 써넣으세요.

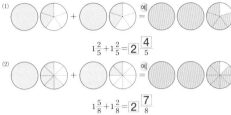

(1) $1\frac{2}{5}+1\frac{2}{5}=\boxed{2}\frac{\boxed{4}}{5}$

(2)

$1\frac{5}{8}+1\frac{2}{8}=\boxed{2}\frac{\boxed{7}}{8}$

2 □ 안에 알맞은 수를 써넣으세요.

(1) $1\frac{3}{9}+3\frac{4}{9}=(\boxed{1}+\boxed{3})+\left(\frac{3}{9}+\frac{4}{9}\right)=\boxed{4}+\frac{\boxed{7}}{9}=4\frac{\boxed{7}}{9}$

(2) $3\frac{2}{8}+2\frac{3}{8}=(\boxed{3}+\boxed{2})+\left(\frac{2}{8}+\frac{3}{8}\right)=\boxed{5}+\frac{\boxed{5}}{8}=5\frac{\boxed{5}}{8}$

(3) $2\frac{6}{10}+1\frac{1}{10}=(\boxed{2}+\boxed{1})+\left(\frac{6}{10}+\frac{1}{10}\right)=\boxed{3}+\frac{\boxed{7}}{10}=3\frac{\boxed{7}}{10}$

3 계산을 하세요.

(1) $4\frac{5}{7}+1\frac{1}{7}=5\frac{6}{7}$

(2) $3\frac{2}{9}+2\frac{6}{9}=5\frac{8}{9}$

(3) $3\frac{1}{5}+3\frac{3}{5}=6\frac{4}{5}$

(4) $3\frac{1}{3}+4\frac{1}{3}=7\frac{2}{3}$

(5) $2\frac{3}{6}+2\frac{2}{6}=4\frac{5}{6}$

(6) $1\frac{4}{11}+1\frac{5}{11}=2\frac{9}{11}$

2. 분모가 같은 분수의 덧셈 33

개념 10 받아올림이 있는 대분수의 덧셈

분모가 같은 대분수의 덧셈에서 진분수 부분의 합이 가분수이면 다음과 같이 계산합니다.

방법 1 자연수 부분끼리 더하고 진분수 부분끼리 더합니다.

$$1\frac{2}{5}+1\frac{4}{5}=(1+1)+\left(\frac{2}{5}+\frac{4}{5}\right)=2+\frac{6}{5}=2+1\frac{1}{5}=3\frac{1}{5}$$

진분수 부분의 합이 가분수이므로 대분수로 나타내기

방법 2 대분수를 가분수로 나타내어 더합니다.

$$1\frac{2}{5}+1\frac{4}{5}=\frac{7}{5}+\frac{9}{5}=\frac{16}{5}=3\frac{1}{5}$$

대분수 → 가분수   계산 결과를 대분수로 나타내기

그림을 보고 □ 안에 알맞은 수를 써넣으세요.

1

$$2\frac{3}{4}+1\frac{2}{4}=(2+\boxed{1})+\left(\frac{3}{4}+\frac{2}{4}\right)=\boxed{3}+\frac{\boxed{5}}{4}=\boxed{3}+1\frac{\boxed{1}}{4}=4\frac{\boxed{1}}{4}$$

2

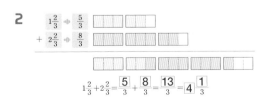

$$1\frac{2}{3}+2\frac{2}{3}=\frac{\boxed{5}}{3}+\frac{\boxed{8}}{3}=\frac{\boxed{13}}{3}=\boxed{4}\frac{\boxed{1}}{3}$$

34 분수

월 일

개념 적용하기 ▶ 정답 6쪽

1 수직선을 보고 □ 안에 알맞은 수를 써넣으세요.

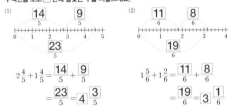

$2\frac{4}{5}+1\frac{4}{5}=\frac{\boxed{14}}{5}+\frac{\boxed{9}}{5}$
$=\frac{\boxed{23}}{5}=\boxed{4}\frac{\boxed{3}}{5}$

$1\frac{5}{6}+1\frac{2}{6}=\frac{\boxed{11}}{6}+\frac{\boxed{8}}{6}$
$=\frac{\boxed{19}}{6}=\boxed{3}\frac{\boxed{1}}{6}$

2 $3\frac{5}{7}+2\frac{3}{7}$ 을 2가지 방법으로 계산하세요.

방법 1 자연수 부분끼리 더하고 진분수 부분끼리 더하기

$$3\frac{5}{7}+2\frac{3}{7}=(3+2)+\left(\frac{5}{7}+\frac{3}{7}\right)=5+\frac{8}{7}=5+1\frac{1}{7}=6\frac{1}{7}$$

방법 2 대분수를 가분수로 나타내어 더하기

$$3\frac{5}{7}+2\frac{3}{7}=\frac{26}{7}+\frac{17}{7}=\frac{43}{7}=6\frac{1}{7}$$

3 계산을 하세요.

(1) $1\frac{2}{4}+3\frac{3}{4}=5\frac{1}{4}$

(2) $2\frac{7}{8}+1\frac{4}{8}=4\frac{3}{8}$

(3) $3\frac{5}{9}+3\frac{8}{9}=7\frac{4}{9}$

(4) $4\frac{4}{5}+2\frac{3}{5}=7\frac{2}{5}$

(5) $5\frac{6}{10}+2\frac{7}{10}=8\frac{3}{10}$

(6) $2\frac{3}{12}+3\frac{10}{12}=6\frac{1}{12}$

2. 분모가 같은 분수의 덧셈 35

---

6 분수

2단원 끝내기 개념 07~10

▶ 정답 7쪽

1 $\frac{2}{8}+\frac{5}{8}$ 를 그림으로 나타내어 얼마인지 알아보세요.

예

$$\frac{2}{8}+\frac{5}{8}=\frac{\boxed{7}}{\boxed{8}}$$

2 계산을 하세요.

(1) $\frac{1}{5}+\frac{3}{5}=\frac{\boxed{4}}{\boxed{5}}$

(2) $\frac{3}{7}+\frac{3}{7}=\frac{\boxed{6}}{\boxed{7}}$

(3) $\frac{4}{9}+\frac{1}{9}=\frac{\boxed{5}}{\boxed{9}}$

3 계산 결과가 다른 하나를 찾아 색칠하세요.

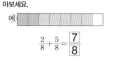

4 수직선을 보고 □ 안에 알맞은 수를 써넣으세요.

$$\frac{3}{4}+\frac{2}{4}=\frac{\boxed{5}}{4}=\boxed{1}\frac{\boxed{1}}{4}$$

5 □ 안에 알맞은 수를 써넣으세요.

$\frac{6}{7}$ 은 $\frac{1}{7}$ 이 $\boxed{6}$ 개,

$\frac{4}{7}$ 는 $\frac{1}{7}$ 이 $\boxed{4}$ 개이므로

$\frac{6}{7}+\frac{4}{7}$ 는 $\frac{1}{7}$ 이 모두 $\boxed{10}$ 개입니다.

➡ $\frac{6}{7}+\frac{4}{7}=\frac{\boxed{10}}{7}=\boxed{1}\frac{\boxed{3}}{7}$

6 빈 곳에 알맞은 수를 써넣으세요.

7 그림을 보고 □ 안에 알맞은 수를 써넣으세요.

$1\frac{2}{5}+1\frac{1}{5}$

$=(\boxed{1}+\boxed{1})+\left(\frac{\boxed{2}}{5}+\frac{\boxed{1}}{5}\right)$

$=\boxed{2}+\frac{\boxed{3}}{5}=\boxed{2}\frac{\boxed{3}}{5}$

8 두 분수의 합을 구하세요.

$$3\frac{5}{9} \qquad 2\frac{2}{9}$$

($5\frac{7}{9}$)

9 크기를 비교하여 ○ 안에 >, =, <를 알맞게 써넣으세요.

$4\frac{5}{8}$ ⟩ $1\frac{2}{8}+3\frac{1}{8}$

10 $2\frac{3}{6}+1\frac{4}{6}$ 를 2가지 방법으로 계산하려고 합니다. □ 안에 알맞은 수를 써넣으세요.

(1) $2\frac{3}{6}+1\frac{4}{6}=(2+\boxed{1})+\left(\frac{3}{6}+\frac{\boxed{4}}{6}\right)$

$=\boxed{3}+\frac{\boxed{7}}{6}$

$=\boxed{3}+\boxed{1}\frac{\boxed{1}}{6}$

$=\boxed{4}\frac{\boxed{1}}{6}$

(2) $2\frac{3}{6}+1\frac{4}{6}=\frac{\boxed{15}}{6}+\frac{\boxed{10}}{6}$

$=\frac{\boxed{25}}{6}=\boxed{4}\frac{\boxed{1}}{6}$

11 바르게 계산한 것에 ○표 하세요.

( )   (○)

12 계산 결과가 3과 4 사이인 덧셈식을 모두 찾아 ○표 하세요.

$1\frac{1}{3}+2\frac{1}{3}$ $1\frac{5}{7}+2\frac{4}{7}$ $1\frac{3}{4}+1\frac{2}{4}$

○   ○

36 분수

2. 분모가 같은 분수의 덧셈 37

---

1 8칸 중에 2칸, 8칸 중에 5칸을 색칠하면 모두 7칸이 색칠되므로 $\frac{7}{8}$ 입니다.

2 (1) $\frac{1}{5}+\frac{3}{5}=\frac{1+3}{5}=\frac{4}{5}$

(2) $\frac{3}{7}+\frac{3}{7}=\frac{3+3}{7}=\frac{6}{7}$

(3) $\frac{4}{9}+\frac{1}{9}=\frac{4+1}{9}=\frac{5}{9}$

3 • $\frac{5}{13}+\frac{4}{13}=\frac{5+4}{13}=\boxed{\frac{9}{13}}$

• $\frac{2}{13}+\frac{6}{13}=\frac{2+6}{13}=\frac{8}{13}$

• $\frac{7}{13}+\frac{1}{13}=\frac{7+1}{13}=\frac{8}{13}$

4 수직선에서 큰 눈금 한 칸이 작은 눈금 4칸으로 나누어져 있으므로 작은 눈금 한 칸은 $\frac{1}{4}$ 을 나타냅니다.

$\frac{3}{4}+\frac{2}{4}$ 는 $\frac{1}{4}$ 씩 5칸이므로 $\frac{5}{4}$ 이고, $\frac{5}{4}=1\frac{1}{4}$ 입니다.

6 $\frac{8}{11}+\frac{7}{11}=\frac{8+7}{11}=\frac{15}{11}=1\frac{4}{11}$

7 자연수 부분끼리 더하고 진분수 부분끼리 더하여 계산합니다.

8 $3\frac{5}{9}+2\frac{2}{9}=(3+2)+\left(\frac{5}{9}+\frac{2}{9}\right)=5+\frac{7}{9}=5\frac{7}{9}$

9 $1\frac{2}{8}+3\frac{1}{8}=(1+3)+\left(\frac{2}{8}+\frac{1}{8}\right)=4+\frac{3}{8}=4\frac{3}{8}$

➡ $4\frac{5}{8}>4\frac{3}{8}$

10 (1) 자연수 부분끼리 더하고 진분수 부분끼리 더하는 방법입니다.

(2) 대분수를 가분수로 나타내어 더하는 방법입니다.

11 • $1\frac{5}{9}+4\frac{6}{9}=5+\frac{11}{9}=5+1\frac{2}{9}=6\frac{2}{9}$

• $3\frac{4}{7}+2\frac{4}{7}=5+\frac{8}{7}=5+1\frac{1}{7}=6\boxed{\frac{1}{7}}$

12 • $1\frac{1}{3}+2\frac{1}{3}=3+\frac{2}{3}=3\boxed{\frac{2}{3}}$

• $1\frac{5}{7}+2\frac{4}{7}=3+\frac{9}{7}=3+1\frac{2}{7}=4\frac{2}{7}$

• $1\frac{3}{4}+1\frac{2}{4}=2+\frac{5}{4}=2+1\frac{1}{4}=3\boxed{\frac{1}{4}}$

개념 11~12

개념 11 진분수의 뺄셈

분모가 같은 진분수의 뺄셈은 분모는 그대로 두고 분자끼리 뺍니다.

$\frac{1}{5}$이 3개 더 많습니다.

$$\frac{4}{5} - \frac{1}{5} = \frac{3}{5}$$

그림을 보고 □ 안에 알맞은 수를 써넣으세요.

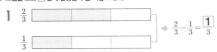

1
$$\frac{2}{3} - \frac{1}{3} = \frac{1}{3}$$

2
$$\frac{5}{6} - \frac{4}{6} = \frac{1}{6}$$

3
$$\frac{7}{9} - \frac{2}{9} = \frac{5}{9}$$

4
$$\frac{6}{8} - \frac{3}{8} = \frac{3}{8}$$

40 분수

개념 적용하기

▶ 정답 8쪽

1 보기와 같이 그림으로 나타내어 뺄셈을 하세요.

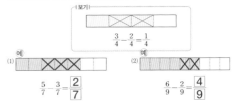

보기

$$\frac{3}{4} - \frac{1}{4} = \frac{1}{4}$$

(1) 예
$$\frac{5}{7} - \frac{3}{7} = \frac{2}{7}$$

(2) 예
$$\frac{6}{9} - \frac{2}{9} = \frac{4}{9}$$

2 □ 안에 알맞은 수를 써넣으세요.

(1) $\frac{4}{8} - \frac{1}{8} = \frac{4-1}{8} = \frac{3}{8}$

(2) $\frac{11}{12} - \frac{4}{12} = \frac{11-4}{12} = \frac{7}{12}$

3 계산을 하세요.

(1) $\frac{2}{4} - \frac{1}{4} = \frac{1}{4}$

(2) $\frac{3}{5} - \frac{2}{5} = \frac{1}{5}$

(3) $\frac{7}{8} - \frac{2}{8} = \frac{5}{8}$

(4) $\frac{8}{9} - \frac{4}{9} = \frac{4}{9}$

(5) $\frac{9}{11} - \frac{3}{11} = \frac{6}{11}$

(6) $\frac{6}{15} - \frac{2}{15} = \frac{4}{15}$

4 □ 안에 알맞은 수를 써넣으세요.

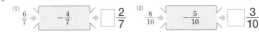

(1) $\frac{6}{7}$ $-\frac{4}{7}$ → $\boxed{\frac{2}{7}}$

(2) $\frac{8}{10}$ $-\frac{5}{10}$ → $\boxed{\frac{3}{10}}$

3. 분모가 같은 분수의 뺄셈 41

개념 12 받아내림이 없는 대분수의 뺄셈

방법 1 자연수 부분끼리 빼고 진분수 부분끼리 뺍니다.

$$2\frac{4}{7} - 1\frac{2}{7} = (2-1) + \left(\frac{4}{7} - \frac{2}{7}\right) = 1 + \frac{2}{7} = 1\frac{2}{7}$$

방법 2 대분수를 가분수로 나타내어 뺍니다.

$$2\frac{4}{7} - 1\frac{2}{7} = \frac{18}{7} - \frac{9}{7} = \frac{9}{7} = 1\frac{2}{7}$$

대분수 → 가분수   계산 결과를 대분수로 나타내기

그림을 보고 □ 안에 알맞은 수를 써넣으세요.

1
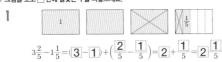

$$3\frac{2}{5} - 1\frac{1}{5} = (3-1) + \left(\frac{2}{5} - \frac{1}{5}\right) = 2 + \frac{1}{5} = 2\frac{1}{5}$$

2
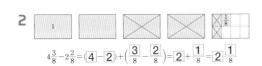

$$4\frac{3}{8} - 2\frac{2}{8} = (4-2) + \left(\frac{3}{8} - \frac{2}{8}\right) = 2 + \frac{1}{8} = 2\frac{1}{8}$$

3
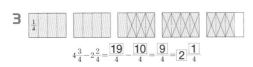

$$4\frac{3}{4} - 2\frac{2}{4} = \frac{19}{4} - \frac{10}{4} = \frac{9}{4} = 2\frac{1}{4}$$

42 분수

개념 적용하기

▶ 정답 8쪽

1 수직선을 보고 □ 안에 알맞은 수를 써넣으세요.

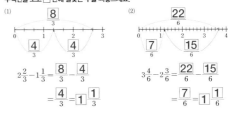

(1)
$$2\frac{2}{3} - 1\frac{1}{3} = \frac{8}{3} - \frac{4}{3} = \frac{4}{3} = 1\frac{1}{3}$$

(2)
$$3\frac{4}{6} - 2\frac{3}{6} = \frac{22}{6} - \frac{15}{6} = \frac{7}{6} = 1\frac{1}{6}$$

2 $4\frac{4}{5} - 3\frac{2}{5}$ 를 2가지 방법으로 계산하려고 합니다. □ 안에 알맞은 수를 써넣으세요.

(1) $4\frac{4}{5} - 3\frac{2}{5} = (4-3) + \left(\frac{4}{5} - \frac{2}{5}\right) = 1 + \frac{2}{5} = 1\frac{2}{5}$

(2) $4\frac{4}{5} - 3\frac{2}{5} = \frac{24}{5} - \frac{17}{5} = \frac{7}{5} = 1\frac{2}{5}$

3 계산을 하세요.

(1) $2\frac{2}{4} - 1\frac{1}{4} = 1\frac{1}{4}$

(2) $5\frac{6}{7} - 2\frac{3}{7} = 3\frac{3}{7}$

(3) $3\frac{5}{8} - 1\frac{4}{8} = 2\frac{1}{8}$

(4) $4\frac{3}{6} - 2\frac{2}{6} = 2\frac{1}{6}$

(5) $6\frac{7}{9} - 4\frac{5}{9} = 2\frac{2}{9}$

(6) $5\frac{11}{12} - 3\frac{6}{12} = 2\frac{5}{12}$

3. 분모가 같은 분수의 뺄셈 43

개념 13 (자연수)−(분수)

방법 1 자연수에서 1만큼을 분수로 바꾸어 자연수 부분끼리 빼고 분수 부분끼리 뺍니다.

$$3-1\frac{1}{3}=2\frac{3}{3}-1\frac{1}{3}=(2-1)+\left(\frac{3}{3}-\frac{1}{3}\right)=1+\frac{2}{3}=1\frac{2}{3}$$

1만큼을 분수로 바꾸기

방법 2 자연수와 대분수를 모두 가분수로 나타내어 뺍니다.

$$3-1\frac{1}{3}=\frac{9}{3}-\frac{4}{3}=\frac{5}{3}=1\frac{2}{3}$$

자연수, 대분수 → 가분수   계산 결과를 대분수로 나타내기

🔖 그림을 보고 ☐안에 알맞은 수를 써넣으세요.

1

$$3-\frac{3}{4}=2\boxed{\frac{4}{4}}-\frac{3}{4}=2\boxed{\frac{1}{4}}$$

2

$$4-1\frac{2}{5}=3\boxed{\frac{5}{5}}-1\frac{2}{5}=(\boxed{3}-1)+\left(\frac{5}{5}-\frac{2}{5}\right)=\boxed{2}+\frac{3}{5}=2\boxed{\frac{3}{5}}$$

3

$$5-3\frac{1}{6}=\boxed{\frac{30}{6}}-\boxed{\frac{19}{6}}=\boxed{\frac{11}{6}}=1\boxed{\frac{5}{6}}$$

44 분수

개념 적용하기   ▶ 정답 9쪽

월   일

1 수직선을 보고 ☐안에 알맞은 수를 써넣으세요.

(1)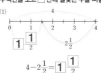

$$4-2\frac{1}{2}=1\boxed{\frac{1}{2}}$$

(2)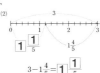

$$3-1\frac{4}{5}=1\boxed{\frac{1}{5}}$$

2 ☐안에 알맞은 수를 써넣으세요.

(1)
2는 $\frac{1}{7}$이 **14**개.

$\frac{4}{7}$는 $\frac{1}{7}$이 **4**개이므로

$2-\frac{4}{7}$는 $\frac{1}{7}$이 **10**개입니다.

➡ $2-\frac{4}{7}=\frac{\boxed{10}}{7}=1\frac{3}{7}$

(2)
4는 $\frac{1}{8}$이 **32**개.

$1\frac{3}{8}$은 $\frac{1}{8}$이 **11**개이므로

$4-1\frac{3}{8}$은 $\frac{1}{8}$이 **21**개입니다.

➡ $4-1\frac{3}{8}=\frac{\boxed{21}}{8}=2\frac{5}{8}$

3 계산을 하세요.

(1) $1-\frac{1}{6}=\frac{5}{6}$

(2) $2-\frac{3}{4}=1\frac{1}{4}$

(3) $5-2\frac{5}{9}=2\frac{4}{9}$

(4) $4-3\frac{3}{5}=\frac{2}{5}$

(5) $6-4\frac{7}{10}=1\frac{3}{10}$

(6) $7-1\frac{8}{15}=5\frac{7}{15}$

4 빈 곳에 알맞은 수를 써넣으세요.

(1)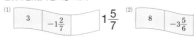
3 $-1\frac{2}{7}$ $1\frac{5}{7}$

(2)
8 $-3\frac{5}{6}$ $4\frac{1}{6}$

3. 분모가 같은 분수의 뺄셈 45

개념 14 받아내림이 있는 대분수의 뺄셈

분모가 같은 대분수의 뺄셈에서 진분수 부분끼리 뺄 수 없으면 다음과 같이 계산합니다.

방법 1 빼어지는 대분수에서 1만큼을 분수로 바꾸어 자연수 부분끼리 빼고 분수 부분끼리 뺍니다.

$$4\frac{1}{4}-1\frac{2}{4}=3\frac{5}{4}-1\frac{2}{4}=(3-1)+\left(\frac{5}{4}-\frac{2}{4}\right)=2+\frac{3}{4}=2\frac{3}{4}$$

1만큼을 분수로 바꾸기

방법 2 대분수를 가분수로 나타내어 뺍니다.

$$4\frac{1}{4}-1\frac{2}{4}=\frac{17}{4}-\frac{6}{4}=\frac{11}{4}=2\frac{3}{4}$$

대분수 → 가분수   계산 결과를 대분수로 나타내기

🔖 그림을 보고 $3\frac{2}{5}-1\frac{4}{5}$가 얼마인지 알아보려고 합니다. ☐안에 알맞은 수를 써넣으세요.

1

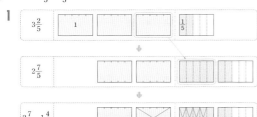

$$3\frac{2}{5}-1\frac{4}{5}=2\boxed{\frac{7}{5}}-1\frac{4}{5}=(\boxed{2}-1)+\left(\frac{7}{5}-\frac{4}{5}\right)$$
$$=\boxed{1}+\frac{3}{5}=1\boxed{\frac{3}{5}}$$

46 분수

개념 적용하기   ▶ 정답 9쪽

월   일

1 색칠한 부분에서 빼는 수만큼 ✕표 하고, ☐안에 알맞은 수를 써넣으세요.

(1)
예.

$$4\frac{1}{3}-2\frac{2}{3}=1\boxed{\frac{2}{3}}$$

(2)
예.

$$5\frac{3}{6}-1\frac{4}{6}=3\boxed{\frac{5}{6}}$$

2 $3\frac{4}{7}-1\frac{6}{7}$을 2가지 방법으로 계산하세요.

방법 1 빼어지는 대분수에서 1만큼을 분수로 바꾸어 자연수 부분끼리 빼고 분수 부분끼리 빼기

$$3\frac{4}{7}-1\frac{6}{7}=2\frac{11}{7}-1\frac{6}{7}=(2-1)+\left(\frac{11}{7}-\frac{6}{7}\right)=1+\frac{5}{7}=1\frac{5}{7}$$

방법 2 대분수를 가분수로 나타내어 빼기

$$3\frac{4}{7}-1\frac{6}{7}=\frac{25}{7}-\frac{13}{7}=\frac{12}{7}=1\frac{5}{7}$$

3 계산을 하세요.

(1) $2\frac{1}{5}-1\frac{2}{5}=\frac{4}{5}$

(2) $4\frac{2}{6}-1\frac{3}{6}=2\frac{5}{6}$

(3) $6\frac{3}{7}-3\frac{5}{7}=2\frac{5}{7}$

(4) $5\frac{2}{9}-2\frac{7}{9}=2\frac{4}{9}$

(5) $8\frac{5}{8}-4\frac{6}{8}=3\frac{7}{8}$

(6) $7\frac{1}{10}-5\frac{4}{10}=1\frac{7}{10}$

4 빈 곳에 알맞은 수를 써넣으세요.

(1)
$5\frac{1}{4}$ $-3\frac{2}{4}$ $1\frac{3}{4}$

(2)
$4\frac{2}{8}$ $-1\frac{7}{8}$ $2\frac{3}{8}$

3. 분모가 같은 분수의 뺄셈 47

정답 **9**

3단원 끝내기 개념 11~14

월 일
▶ 정답 10쪽

1 수직선을 보고 □안에 알맞은 수를 써넣으세요.

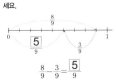

$$\frac{8}{9} - \frac{3}{9} = \boxed{\frac{5}{9}}$$

2 □안에 알맞은 수를 써넣으세요.

$\frac{5}{7}$ 는 $\frac{1}{7}$ 이 $\boxed{5}$ 개,

$\frac{2}{7}$ 는 $\frac{1}{7}$ 이 $\boxed{2}$ 개이므로

$\frac{5}{7} - \frac{2}{7}$ 는 $\frac{1}{7}$ 이 $\boxed{3}$ 개입니다.

➡ $\frac{5}{7} - \frac{2}{7} = \boxed{\frac{3}{7}}$

3 계산을 하세요.

(1) $\frac{3}{5} - \frac{1}{5} = \boxed{\frac{2}{5}}$

(2) $\frac{4}{6} - \frac{3}{6} = \boxed{\frac{1}{6}}$

(3) $\frac{9}{12} - \frac{2}{12} = \boxed{\frac{7}{12}}$

4 보기와 같은 방법으로 계산하세요.

보기
$$3\frac{2}{4} - 1\frac{1}{4} = (3-1) + \left(\frac{2}{4} - \frac{1}{4}\right)$$
$$= 2 + \frac{1}{4} = 2\frac{1}{4}$$

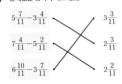

$$4\frac{5}{6} - 1\frac{4}{6} = (4-1) + \left(\frac{5}{6} - \frac{4}{6}\right)$$
$$= 3 + \frac{1}{6} = 3\frac{1}{6}$$

5 관계있는 것끼리 이으세요.

$5\frac{7}{11} - 3\frac{4}{11}$ $3\frac{3}{11}$

$7\frac{4}{11} - 5\frac{2}{11}$ $2\frac{3}{11}$

$6\frac{10}{11} - 3\frac{7}{11}$ $2\frac{2}{11}$

6 예서는 우유 $2\frac{8}{10}$ L 중에서 $1\frac{5}{10}$ L를 마셨습니다. 남은 우유는 몇 L일까요?

($1\frac{3}{10}$ L)

7 그림을 보고 □안에 알맞은 수를 써넣으세요.

$3 - 1\frac{3}{5} = \boxed{2}\frac{5}{5} - 1\frac{3}{5} = \boxed{1}\frac{2}{5}$

8 빈 곳에 알맞은 수를 써넣으세요.

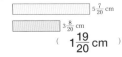

9 계산 결과가 1과 2 사이인 뺄셈식을 모두 찾아 ○표 하세요.

$4 - 1\frac{5}{6}$ $9 - 7\frac{11}{13}$ ○ $6 - 4\frac{5}{7}$ ○

10 $4\frac{2}{4} - 2\frac{3}{4}$ 을 2가지 방법으로 계산하려고 합니다. □안에 알맞은 수를 써넣으세요.

(1) $4\frac{2}{4} - 2\frac{3}{4} = \boxed{3}\frac{6}{4} - 2\frac{3}{4}$
$= (\boxed{3} - 2) + \left(\frac{\boxed{6}}{4} - \frac{3}{4}\right)$
$= \boxed{1} + \frac{\boxed{3}}{4} = \boxed{1}\frac{3}{4}$

(2) $4\frac{2}{4} - 2\frac{3}{4} = \frac{\boxed{18}}{4} - \frac{\boxed{11}}{4}$
$= \frac{\boxed{7}}{4} = \boxed{1}\frac{3}{4}$

11 두 종이띠의 길이의 차는 몇 cm일까요?

$5\frac{7}{20}$ cm

$3\frac{8}{20}$ cm

($1\frac{19}{20}$ cm)

12 크기를 비교하여 ○안에 >, =, <를 알맞게 써넣으세요.

$7\frac{3}{8} - 4\frac{6}{8}$ ○= $2\frac{5}{8}$

48 분수

3. 분모가 같은 분수의 뺄셈 49

---

1 수직선에서 작은 눈금 한 칸은 $\frac{1}{9}$ 을 나타냅니다.
$\frac{8}{9} - \frac{3}{9}$ 은 $\frac{1}{9}$ 씩 5칸이므로 $\frac{5}{9}$ 입니다.

3 (1) $\frac{3}{5} - \frac{1}{5} = \frac{3-1}{5} = \frac{2}{5}$

(2) $\frac{4}{6} - \frac{3}{6} = \frac{4-3}{6} = \frac{1}{6}$

(3) $\frac{9}{12} - \frac{2}{12} = \frac{9-2}{12} = \frac{7}{12}$

5 • $5\frac{7}{11} - 3\frac{4}{11} = (5-3) + \left(\frac{7}{11} - \frac{4}{11}\right)$
$= 2 + \frac{3}{11} = 2\frac{3}{11}$

• $7\frac{4}{11} - 5\frac{2}{11} = (7-5) + \left(\frac{4}{11} - \frac{2}{11}\right)$
$= 2 + \frac{2}{11} = 2\frac{2}{11}$

• $6\frac{10}{11} - 3\frac{7}{11} = (6-3) + \left(\frac{10}{11} - \frac{7}{11}\right)$
$= 3 + \frac{3}{11} = 3\frac{3}{11}$

6 (남은 우유의 양) $= 2\frac{8}{10} - 1\frac{5}{10} = 1\frac{3}{10}$ (L)

7 3에서 1만큼을 $\frac{5}{5}$ 로 바꾸어 1과 $\frac{3}{5}$ 만큼을 지우면
1과 $\frac{2}{5}$ 가 남으므로 $3 - 1\frac{3}{5} = 1\frac{2}{5}$ 입니다.

8 • $5 - 2\frac{7}{8} = 4\frac{8}{8} - 2\frac{7}{8} = 2\frac{1}{8}$

• $5 - 1\frac{2}{9} = 4\frac{9}{9} - 1\frac{2}{9} = 3\frac{7}{9}$

9 • $4 - 1\frac{5}{6} = 3\frac{6}{6} - 1\frac{5}{6} = 2\frac{1}{6}$

• $9 - 7\frac{11}{13} = 8\frac{13}{13} - 7\frac{11}{13} = 1\frac{2}{13}$

• $6 - 4\frac{5}{7} = 5\frac{7}{7} - 4\frac{5}{7} = 1\frac{2}{7}$

10 (1) 빼어지는 대분수에서 1만큼을 분수로 바꾸어 자연수 부분끼리 빼고 분수 부분끼리 빼는 방법입니다.

(2) 대분수를 가분수로 나타내어 빼는 방법입니다.

11 (긴 종이띠의 길이) - (짧은 종이띠의 길이)
$= 5\frac{7}{20} - 3\frac{8}{20} = 4\frac{27}{20} - 3\frac{8}{20} = 1\frac{19}{20}$ (cm)

12 $7\frac{3}{8} - 4\frac{6}{8} = 6\frac{11}{8} - 4\frac{6}{8} = 2\frac{5}{8}$

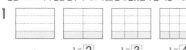 **개념 15** 크기가 같은 분수

개념 동영상 강의

• 분수만큼 색칠했을 때 색칠된 부분의 크기가 같으면 크기가 같은 분수입니다.

$\frac{1}{2}$ = $\frac{2}{4}$ = $\frac{3}{6}$

• 크기가 같은 분수 만드는 방법: 분모와 분자에 각각 0이 아닌 같은 수를 곱하거나, 분모와 분자를 각각 0이 아닌 같은 수로 나눕니다.

$$\frac{1}{3} = \frac{1\times2}{3\times2} = \frac{1\times3}{3\times3} = \frac{1\times4}{3\times4} \Rightarrow \frac{1}{3} = \frac{2}{6} = \frac{3}{9} = \frac{4}{12}$$

$$\frac{6}{24} = \frac{6\div2}{24\div2} = \frac{6\div3}{24\div3} = \frac{6\div6}{24\div6} \Rightarrow \frac{6}{24} = \frac{3}{12} = \frac{2}{8} = \frac{1}{4}$$

그림을 보고 크기가 같은 분수가 되도록 □안에 알맞은 수를 써넣으세요.

1 $\frac{1}{4} = \frac{1\times\boxed{2}}{4\times\boxed{2}} = \frac{1\times\boxed{3}}{4\times\boxed{3}} = \frac{1\times\boxed{4}}{4\times\boxed{4}}$

2 $\frac{8}{16} = \frac{8\div\boxed{2}}{16\div\boxed{2}} = \frac{8\div\boxed{4}}{16\div\boxed{4}} = \frac{8\div\boxed{8}}{16\div\boxed{8}}$

3 $\frac{12}{18} = \frac{12\div\boxed{2}}{18\div\boxed{2}} = \frac{12\div\boxed{3}}{18\div\boxed{3}} = \frac{12\div\boxed{6}}{18\div\boxed{6}}$

52 분수

월 일

개념 적용하기

▶ 정답 11쪽

1 크기가 같은 분수를 만들려고 합니다. □안에 알맞은 수를 써넣으세요.

(1) $\frac{1}{7}$ $\frac{1\times\boxed{2}}{7\times\boxed{2}} = \frac{2}{14}$, $\frac{1\times\boxed{3}}{7\times\boxed{3}} = \frac{3}{21}$, $\frac{1\times\boxed{4}}{7\times\boxed{4}} = \frac{4}{28}$

(2) $\frac{3}{5}$ $\frac{3\times\boxed{2}}{5\times\boxed{2}} = \frac{6}{10}$, $\frac{3\times\boxed{3}}{5\times\boxed{3}} = \frac{9}{15}$, $\frac{3\times\boxed{4}}{5\times\boxed{4}} = \frac{12}{20}$

(3) $\frac{8}{24}$ $\frac{8\div\boxed{2}}{24\div\boxed{2}} = \frac{4}{12}$, $\frac{8\div\boxed{4}}{24\div\boxed{4}} = \frac{2}{6}$, $\frac{8\div\boxed{8}}{24\div\boxed{8}} = \frac{1}{3}$

(4) $\frac{20}{30}$ $\frac{20\div\boxed{2}}{30\div\boxed{2}} = \frac{10}{15}$, $\frac{20\div\boxed{5}}{30\div\boxed{5}} = \frac{4}{6}$, $\frac{20\div\boxed{10}}{30\div\boxed{10}} = \frac{2}{3}$

2 크기가 같은 분수를 만들려고 합니다. □안에 알맞은 수를 써넣으세요.

(1) $\frac{5}{6} = \frac{\boxed{10}}{12} = \frac{15}{\boxed{18}} = \frac{20}{24}$

(2) $\frac{4}{9} = \frac{8}{\boxed{18}} = \frac{\boxed{12}}{27} = \frac{16}{36}$

(3) $\frac{14}{42} = \frac{\boxed{7}}{21} = \frac{2}{\boxed{6}} = \frac{1}{3}$

(4) $\frac{12}{36} = \frac{6}{\boxed{18}} = \frac{\boxed{4}}{12} = \frac{3}{9}$

3 크기가 같은 분수를 2개 쓰세요.

(1) $\frac{3}{8}$ ➡ (예 $\frac{6}{16}, \frac{9}{24}$)

(2) $\frac{5}{7}$ ➡ (예 $\frac{10}{14}, \frac{15}{21}$)

(3) $\frac{16}{48}$ ➡ (예 $\frac{8}{24}, \frac{4}{12}$)

(4) $\frac{24}{32}$ ➡ (예 $\frac{12}{16}, \frac{6}{8}$)

4. 약분과 통분 53

 **개념 16** 약분

개념 동영상 강의

약분: 분모와 분자를 공약수(1은 제외)로 나누어 간단한 분수로 만드는 것

$\frac{9}{18} = \frac{9\div9}{18\div9} = \frac{1}{2}$ ➡ $\frac{9}{18} = \frac{1}{2}$

9와 18의 공약수 9로 나누기

분수를 약분하려고 합니다. □안에 알맞은 수를 써넣으세요.

1 $\frac{9}{15} = \frac{9\div\boxed{3}}{15\div\boxed{3}} = \frac{3}{5}$ ➡ $\frac{9}{15} = \frac{3}{5}$

2 $\frac{14}{21} = \frac{14\div\boxed{7}}{21\div\boxed{7}} = \frac{2}{3}$ ➡ $\frac{14}{21} = \frac{2}{3}$

3 $\frac{15}{25} = \frac{15\div\boxed{5}}{25\div\boxed{5}} = \frac{3}{5}$ ➡ $\frac{15}{25} = \frac{3}{5}$

4 $\frac{20}{32} = \frac{20\div\boxed{2}}{32\div\boxed{2}} = \frac{10}{16}$ ➡ $\frac{20}{32} = \frac{10}{16}$, $\frac{20}{32} = \frac{20\div\boxed{4}}{32\div\boxed{4}} = \frac{5}{8}$ ➡ $\frac{20}{32} = \frac{5}{8}$

5 $\frac{27}{45} = \frac{27\div\boxed{3}}{45\div\boxed{3}} = \frac{9}{15}$ ➡ $\frac{27}{45} = \frac{9}{15}$, $\frac{27}{45} = \frac{27\div\boxed{9}}{45\div\boxed{9}} = \frac{3}{5}$ ➡ $\frac{27}{45} = \frac{3}{5}$

54 분수

월 일

개념 적용하기

▶ 정답 11쪽

1 분수를 약분하려고 합니다. 분모와 분자를 모두 나눌 수 있는 수를 모두 찾아 ○표 하세요.

(1) $\frac{4}{16}$ ②　3　④　5　6

(2) $\frac{12}{30}$ ②　③　4　5　⑥

(3) $\frac{28}{42}$ ②　3　5　⑦　8

2 약분한 분수를 모두 쓰려고 합니다. □안에 알맞은 수를 써넣으세요.

(1) $\frac{6}{18}$ ➡ $\frac{3}{9}, \frac{2}{6}, \frac{1}{3}$

(2) $\frac{18}{36}$ ➡ $\frac{9}{18}, \frac{6}{12}, \frac{3}{6}, \frac{2}{4}, \frac{1}{2}$

(3) $\frac{24}{60}$ ➡ $\frac{12}{30}, \frac{8}{20}, \frac{6}{15}, \frac{4}{10}, \frac{2}{5}$

3 약분한 분수를 모두 쓰세요.

(1) $\frac{8}{12}$ ➡ ($\frac{4}{6}, \frac{2}{3}$)

(2) $\frac{16}{28}$ ➡ ($\frac{8}{14}, \frac{4}{7}$)

(3) $\frac{9}{27}$ ➡ ($\frac{3}{9}, \frac{1}{3}$)

(4) $\frac{40}{56}$ ➡ ($\frac{20}{28}, \frac{10}{14}, \frac{5}{7}$)

4. 약분과 통분 55

개념 17 기약분수

- 기약분수: 분모와 분자의 공약수가 1뿐인 분수 → 더 이상 약분이 안 되는 가장 간단한 분수
- 기약분수로 나타내는 방법: 분모와 분자를 최대공약수로 나눕니다.

공약수 중에서 가장 큰 수

$$\frac{16}{20} \Rightarrow \begin{array}{r} 2)\underline{16\ 20} \\ 2)\underline{\ 8\ 10} \\ 4\ \ 5 \end{array} \Rightarrow \frac{16}{20} = \frac{4}{5}$$

최대공약수: $2 \times 2 = 4$

최대공약수 4로 나누기

기약분수로 나타내려고 합니다. ☐ 안에 알맞은 수를 써넣으세요.

1 $\frac{24}{28}$ ⇒ $\begin{array}{r} 2)\underline{24\ 28} \\ 2)\underline{12\ 14} \\ 6\ \ 7 \end{array}$ 최대공약수: $2\times2=\boxed{4}$ ⇒ $\frac{24}{28}=\frac{\boxed{6}}{\boxed{7}}$

2 $\frac{18}{30}$ ⇒ $\begin{array}{r} 2)\underline{18\ 30} \\ 3)\underline{\ 9\ 15} \\ 3\ \ 5 \end{array}$ 최대공약수: $2\times\boxed{3}=\boxed{6}$ ⇒ $\frac{18}{30}=\frac{\boxed{3}}{\boxed{5}}$

3 $\frac{36}{81}$ ⇒ $\begin{array}{r} 3)\underline{36\ 81} \\ 3)\underline{12\ 27} \\ 4\ \ 9 \end{array}$ 최대공약수: $3\times\boxed{3}=\boxed{9}$ ⇒ $\frac{36}{81}=\frac{\boxed{4}}{\boxed{9}}$

4 $\frac{30}{45}$ ⇒ $\begin{array}{r} 3)\underline{30\ 45} \\ 5)\underline{10\ 15} \\ 2\ \ 3 \end{array}$ 최대공약수: $3\times\boxed{5}=\boxed{15}$ ⇒ $\frac{30}{45}=\frac{\boxed{2}}{\boxed{3}}$

56 분수

개념 적용하기 ▶ 정답 12쪽

1 $\frac{42}{54}$ 의 분모와 분자를 공약수로 나누어 약분하려고 합니다. ☐ 안에 알맞은 수를 써넣고, 기약분수에 ○표 하세요.

$\frac{42}{54}=\frac{42\div2}{54\div\boxed{2}}=\frac{\boxed{21}}{27}$ $\frac{42}{54}=\frac{42\div3}{54\div\boxed{3}}=\frac{\boxed{14}}{18}$ $\frac{42}{54}=\frac{42\div6}{54\div\boxed{6}}=\frac{\boxed{7}}{9}$

( ) ( ) (○)

2 기약분수로 나타내려고 합니다. ☐ 안에 알맞은 수를 써넣으세요.

(1) $\frac{18}{42}=\frac{18\div\boxed{6}}{42\div\boxed{6}}=\frac{3}{\boxed{7}}$

(2) $\frac{27}{36}=\frac{27\div\boxed{9}}{36\div\boxed{9}}=\frac{3}{\boxed{4}}$

(3) $\frac{60}{84}=\frac{60\div\boxed{12}}{84\div\boxed{12}}=\frac{5}{\boxed{7}}$

(4) $\frac{28}{70}=\frac{28\div\boxed{14}}{70\div\boxed{14}}=\frac{2}{\boxed{5}}$

3 기약분수로 나타내세요.

(1) $\frac{28}{32}=\frac{7}{\boxed{8}}$

(2) $\frac{40}{48}=\frac{\boxed{5}}{6}$

(3) $\frac{50}{60}=\frac{\boxed{5}}{6}$

(4) $\frac{30}{75}=\frac{2}{\boxed{5}}$

4 기약분수를 모두 찾아 ○표 하세요.

$\frac{15}{21}$ $\boxed{\frac{2}{7}}$ $\boxed{\frac{8}{11}}$ $\frac{27}{51}$ $\frac{4}{14}$ $\boxed{\frac{17}{32}}$

4. 약분과 통분 57

개념 18 통분과 공통분모

- 통분: 분수의 분모를 같게 하는 것
- 공통분모: 통분한 분모

$$\frac{3}{4}=\frac{6}{8}=\frac{9}{12}=\frac{12}{16}=\frac{15}{20}=\frac{18}{24}=\frac{21}{28}=\frac{24}{32}=\frac{27}{36}\cdots$$
$$\frac{5}{6}=\frac{10}{12}=\frac{15}{18}=\frac{20}{24}=\frac{25}{30}=\frac{30}{36}\cdots$$

통분 $\left(\frac{3}{4},\ \frac{5}{6}\right) \Rightarrow \left(\frac{9}{12},\ \frac{10}{12}\right),\ \left(\frac{18}{24},\ \frac{20}{24}\right),\ \left(\frac{27}{36},\ \frac{30}{36}\right)\cdots$

공통분모 12, 24, 36…은 두 분모 4와 6의 공배수입니다.

그림을 보고 두 분수를 통분하려고 합니다. ☐ 안에 알맞은 수를 써넣으세요.

1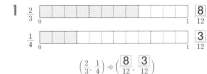
$\frac{2}{3}$ $\frac{\boxed{8}}{12}$
$\frac{1}{4}$ $\frac{\boxed{3}}{12}$
$\left(\frac{2}{3},\ \frac{1}{4}\right) \Rightarrow \left(\frac{\boxed{8}}{12},\ \frac{\boxed{3}}{12}\right)$

2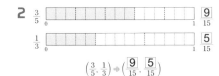
$\frac{3}{5}$ $\frac{\boxed{9}}{15}$
$\frac{1}{3}$ $\frac{\boxed{5}}{15}$
$\left(\frac{3}{5},\ \frac{1}{3}\right) \Rightarrow \left(\frac{\boxed{9}}{15},\ \frac{\boxed{5}}{15}\right)$

3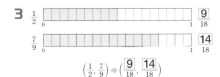
$\frac{1}{2}$ $\frac{\boxed{9}}{18}$
$\frac{7}{9}$ $\frac{\boxed{14}}{18}$
$\left(\frac{1}{2},\ \frac{7}{9}\right) \Rightarrow \left(\frac{\boxed{9}}{18},\ \frac{\boxed{14}}{18}\right)$

58 분수

개념 적용하기 ▶ 정답 12쪽

1 크기가 같은 분수를 만들어 통분하려고 합니다. ☐ 안에 알맞은 수를 써넣으세요.

$$\frac{3}{8}=\frac{\boxed{6}}{16}=\frac{\boxed{9}}{32}=\frac{\boxed{12}}{40}=\frac{\boxed{15}}{48}\cdots$$
$$\frac{5}{12}=\frac{\boxed{10}}{24}=\frac{\boxed{15}}{36}=\frac{\boxed{20}}{48}=\frac{\boxed{25}}{60}=\frac{\boxed{30}}{72}\cdots$$

통분 $\left(\frac{3}{8},\ \frac{5}{12}\right) \Rightarrow \left(\frac{9}{24},\ \frac{\boxed{10}}{24}\right),\ \left(\frac{18}{48},\ \frac{\boxed{20}}{48}\right)\cdots$

2 ☐ 안의 수를 공통분모로 하여 통분하려고 합니다. ☐ 안에 알맞은 수를 써넣으세요.

(1) 30 $\left(\frac{2}{5},\ \frac{1}{6}\right) \Rightarrow \left(\frac{2\times\boxed{6}}{5\times\boxed{6}},\ \frac{1\times\boxed{5}}{6\times\boxed{5}}\right) \Rightarrow \left(\frac{\boxed{12}}{30},\ \frac{5}{30}\right)$

(2) 28 $\left(\frac{3}{4},\ \frac{9}{14}\right) \Rightarrow \left(\frac{3\times\boxed{7}}{4\times\boxed{7}},\ \frac{9\times\boxed{2}}{14\times\boxed{2}}\right) \Rightarrow \left(\frac{\boxed{21}}{28},\ \frac{\boxed{18}}{28}\right)$

(3) 45 $\left(\frac{7}{9},\ \frac{4}{15}\right) \Rightarrow \left(\frac{7\times\boxed{5}}{9\times\boxed{5}},\ \frac{4\times\boxed{3}}{15\times\boxed{3}}\right) \Rightarrow \left(\frac{\boxed{35}}{45},\ \frac{\boxed{12}}{45}\right)$

3 두 분수를 주어진 공통분모로 통분하세요.

(1) $\left(\frac{5}{7},\ \frac{1}{3}\right) \Rightarrow \left(\frac{\boxed{15}}{21},\ \frac{\boxed{7}}{21}\right)$

(2) $\left(\frac{5}{6},\ \frac{2}{9}\right) \Rightarrow \left(\frac{\boxed{15}}{18},\ \frac{\boxed{4}}{18}\right)$

(3) $\left(\frac{4}{5},\ \frac{7}{8}\right) \Rightarrow \left(\frac{\boxed{32}}{40},\ \frac{\boxed{35}}{40}\right)$

(4) $\left(\frac{3}{10},\ \frac{1}{4}\right) \Rightarrow \left(\frac{\boxed{6}}{20},\ \frac{\boxed{5}}{20}\right)$

4. 약분과 통분 59

개념 19 통분하는 방법

방법 1 두 분모의 곱을 공통분모로 하여 통분하기 — 공통분모를 구하기 쉬운 방법

$$\left(\frac{1}{6},\frac{5}{9}\right) \Rightarrow \left(\frac{1\times9}{6\times9},\frac{5\times6}{9\times6}\right) \Rightarrow \left(\frac{9}{54},\frac{30}{54}\right)$$
└ 두 분모의 곱 : 6 × 9 = 54

방법 2 두 분모의 최소공배수를 공통분모로 하여 통분하기 — 공통분모의 크기가 작아서 계산이 간단한 방법

$$\left(\frac{1}{6},\frac{5}{9}\right) \Rightarrow \left(\frac{1\times3}{6\times3},\frac{5\times2}{9\times2}\right) \Rightarrow \left(\frac{3}{18},\frac{10}{18}\right)$$
3) 6 9
2 3
→ 두 분모의 최소공배수 : 3 × 2 × 3 = 18

두 분수의 공통분모를 구하려고 합니다. □ 안에 알맞은 수를 써넣으세요.

공통분모: 두 분모의 곱

1 $\left(\frac{1}{4},\frac{3}{7}\right)$ 공통분모: 4 × 7 = **28**

2 $\left(\frac{2}{5},\frac{2}{3}\right)$ 공통분모: 5 × **3** = **15**

3 $\left(\frac{3}{11},\frac{7}{8}\right)$ 공통분모: **11** × 8 = **88**

공통분모: 두 분모의 최소공배수

4 $\left(\frac{5}{6},\frac{7}{12}\right)$ ⇒ 2) 6 12
3) 3 6
1 2   공통분모: 2 × 3 × 1 × 2 = **12**

5 $\left(\frac{2}{15},\frac{4}{9}\right)$ ⇒ 3) 15 9
5 3   공통분모: 3 × **5** × 3 = **45**

60 분수

개념 적용하기
▶ 정답 13쪽
월 일

1 $\frac{5}{6}$와 $\frac{3}{8}$을 2가지 방법으로 통분하려고 합니다. □ 안에 알맞은 수를 써넣으세요.

방법 1 두 분모의 곱을 공통분모로 하여 통분하기

$$\left(\frac{5}{6},\frac{3}{8}\right) \Rightarrow \left(\frac{5\times\boxed{8}}{6\times\boxed{8}},\frac{3\times\boxed{6}}{8\times\boxed{6}}\right) \Rightarrow \left(\frac{40}{48},\frac{18}{48}\right)$$

방법 2 두 분모의 최소공배수를 공통분모로 하여 통분하기

$$\left(\frac{5}{6},\frac{3}{8}\right) \Rightarrow \left(\frac{5\times\boxed{4}}{6\times\boxed{4}},\frac{3\times\boxed{3}}{8\times\boxed{3}}\right) \Rightarrow \left(\frac{20}{24},\frac{9}{24}\right)$$

2 두 분모의 곱을 공통분모로 하여 통분하세요.

(1) $\left(\frac{1}{2},\frac{3}{4}\right) \Rightarrow \left(\frac{4}{8},\frac{6}{8}\right)$ (2) $\left(\frac{1}{3},\frac{4}{5}\right) \Rightarrow \left(\frac{5}{15},\frac{12}{15}\right)$

(3) $\left(\frac{5}{8},\frac{7}{7}\right) \Rightarrow \left(\frac{35}{56},\frac{40}{56}\right)$ (4) $\left(\frac{7}{9},\frac{6}{11}\right) \Rightarrow \left(\frac{77}{99},\frac{54}{99}\right)$

(5) $\left(\frac{2}{3},\frac{7}{10}\right) \Rightarrow \left(\frac{20}{30},\frac{21}{30}\right)$ (6) $\left(\frac{5}{18},\frac{2}{5}\right) \Rightarrow \left(\frac{25}{90},\frac{36}{90}\right)$

3 두 분모의 최소공배수를 공통분모로 하여 통분하세요.

(1) $\left(\frac{3}{4},\frac{7}{8}\right) \Rightarrow \left(\frac{6}{8},\frac{7}{8}\right)$ (2) $\left(\frac{5}{12},\frac{2}{3}\right) \Rightarrow \left(\frac{5}{12},\frac{8}{12}\right)$

(3) $\left(\frac{4}{9},\frac{5}{6}\right) \Rightarrow \left(\frac{8}{18},\frac{15}{18}\right)$ (4) $\left(\frac{9}{10},\frac{3}{16}\right) \Rightarrow \left(\frac{72}{80},\frac{15}{80}\right)$

(5) $\left(\frac{11}{14},\frac{4}{21}\right) \Rightarrow \left(\frac{33}{42},\frac{8}{42}\right)$ (6) $\left(\frac{7}{20},\frac{8}{15}\right) \Rightarrow \left(\frac{21}{60},\frac{32}{60}\right)$

4. 약분과 통분 61

개념 20 분모가 다른 분수의 크기 비교

통분하여 분모를 같게 한 다음 분자의 크기를 비교합니다.

$$\left(\frac{1}{2},\frac{3}{4},\frac{2}{5}\right) \Rightarrow \frac{2}{5} < \frac{1}{2} < \frac{3}{4}$$

그림을 이용하여 분수의 크기를 비교하려고 합니다. □ 안에 알맞은 수를 써넣으세요.

1 $\frac{4}{7}$ ... $\frac{12}{21}$
$\frac{2}{3}$ ... $\frac{14}{21}$

$$\left(\frac{4}{7},\frac{2}{3}\right) \Rightarrow \frac{\boxed{12}}{\boxed{21}} < \frac{\boxed{14}}{\boxed{21}}$$
$\frac{4}{7}$ $\frac{2}{3}$

2 $\frac{7}{12}$ ... $\frac{14}{24}$
$\frac{5}{6}$ ... $\frac{20}{24}$
$\frac{5}{8}$ ... $\frac{15}{24}$

$$\left(\frac{7}{12},\frac{5}{6},\frac{5}{8}\right) \Rightarrow \boxed{} < \boxed{} < \boxed{}$$
$\frac{7}{12}$ $\frac{5}{8}$ $\frac{5}{6}$

62 분수

개념 적용하기
▶ 정답 13쪽
월 일

1 두 분수를 통분하고, 크기를 비교하여 ○ 안에 >, =, <를 알맞게 써넣으세요.

(1) $\left(\frac{4}{9},\frac{2}{7}\right) \xrightarrow{\text{예}} \left(\frac{28}{63},\frac{18}{63}\right) \Rightarrow \frac{4}{9} > \frac{2}{7}$

(2) $\left(\frac{1}{5},\frac{2}{15}\right) \xrightarrow{\text{예}} \left(\frac{3}{15},\frac{2}{15}\right) \Rightarrow \frac{1}{5} > \frac{2}{15}$

(3) $\left(\frac{3}{10},\frac{5}{12}\right) \xrightarrow{\text{예}} \left(\frac{18}{60},\frac{25}{60}\right) \Rightarrow \frac{3}{10} < \frac{5}{12}$

2 분수의 크기를 비교하여 ○ 안에 >, =, <를 알맞게 써넣으세요.

(1) $\frac{1}{3} > \frac{3}{10}$ (2) $\frac{1}{6} < \frac{2}{9}$

(3) $\frac{7}{8} > \frac{4}{5}$ (4) $\frac{1}{2} > \frac{3}{7}$

(5) $\frac{3}{14} < \frac{5}{21}$ (6) $\frac{9}{16} > \frac{13}{24}$

3 $\frac{3}{4}, \frac{5}{8}, \frac{13}{20}$의 크기를 비교한 다음 큰 분수부터 차례로 쓰세요.

$$\left(\frac{3}{4},\frac{5}{8}\right) \Rightarrow \left(\frac{6}{8},\frac{5}{8}\right) \Rightarrow \frac{3}{4} > \frac{5}{8}$$

$$\left(\frac{5}{8},\frac{13}{20}\right) \Rightarrow \left(\frac{25}{40},\frac{26}{40}\right) \Rightarrow \frac{5}{8} < \frac{13}{20}$$

$$\left(\frac{3}{4},\frac{13}{20}\right) \Rightarrow \left(\frac{15}{20},\frac{13}{20}\right) \Rightarrow \frac{3}{4} > \frac{13}{20}$$

$$\left(\frac{3}{4},\frac{13}{20},\frac{5}{8}\right)$$

4. 약분과 통분 63

4단원 끝내기 개념 15~20

1 분수만큼 빈칸의 아래부터 색칠하고 크기가 같은 분수를 쓰세요.

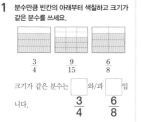

$\frac{3}{4}$ $\frac{9}{15}$ $\frac{6}{8}$

크기가 같은 분수는 $\boxed{\frac{3}{4}}$ 와/과 $\boxed{\frac{6}{8}}$ 입니다.

2 ☐안에 알맞은 수를 써넣어 크기가 같은 분수를 만드세요.

$\frac{2}{5}=\frac{2\times2}{5\times\boxed{2}}=\frac{2\times\boxed{3}}{5\times3}=\frac{2\times4}{5\times\boxed{4}}$

➡ $\frac{2}{5}=\frac{4}{\boxed{10}}=\frac{\boxed{6}}{15}=\frac{8}{\boxed{20}}$

3 $\frac{6}{9}$과 크기가 같은 분수를 모두 찾아 ○표 하세요.

$\boxed{\frac{12}{18}}$ $\frac{9}{12}$ $\frac{7}{9}$ $\boxed{\frac{2}{3}}$ $\frac{3}{4}$

4 $\frac{16}{24}$의 분모와 분자를 공약수로 나누어 약분하려고 합니다. ☐안에 알맞은 수를 써넣으세요.

16과 24의 공약수: 1, $\boxed{2}$, $\boxed{4}$, $\boxed{8}$

➡ $\frac{16}{24}=\frac{16\div\boxed{2}}{24\div\boxed{2}}=\frac{8}{\boxed{12}}$

$\frac{16}{24}=\frac{16\div\boxed{4}}{24\div\boxed{4}}=\frac{4}{\boxed{6}}$

$\frac{16}{24}=\frac{16\div\boxed{8}}{24\div\boxed{8}}=\frac{2}{\boxed{3}}$

5 약분한 분수를 모두 쓰세요.

$\frac{30}{42}$ ➡ ($\frac{15}{21}, \frac{10}{14}, \frac{5}{7}$)

6 기약분수로 나타내려고 합니다. ☐안에 알맞은 수를 써넣으세요.

(1) $\frac{28}{36}=\frac{28\div\boxed{4}}{36\div\boxed{4}}=\frac{7}{9}$

(2) $\frac{45}{54}=\frac{45\div\boxed{9}}{54\div\boxed{9}}=\frac{5}{6}$

7 ☐안에 알맞은 수를 써넣으세요.

$\frac{2}{3}=\frac{4}{6}=\frac{6}{9}=\frac{8}{12}\cdots$

$\frac{5}{6}=\frac{10}{12}=\frac{15}{18}=\frac{20}{24}\cdots$

두 분수를 분모가 같은 분수끼리 짝 지으면

$\left(\frac{4}{6}, \frac{5}{6}\right), \left(\frac{8}{12}, \frac{10}{12}\right)\cdots$ 입니다.

이때 공통분모는 $\boxed{6}$, $\boxed{12}\cdots$ 입니다.

8 두 분모의 곱을 공통분모로 하여 통분하세요.

(1) $\left(\frac{3}{7}, \frac{5}{8}\right)$ ➡ $\left(\frac{24}{56}, \frac{35}{56}\right)$

(2) $\left(\frac{1}{2}, \frac{4}{9}\right)$ ➡ $\left(\frac{9}{18}, \frac{8}{18}\right)$

9 두 분모의 최소공배수를 공통분모로 하여 통분하세요.

(1) $\left(\frac{3}{4}, \frac{7}{12}\right)$ ➡ $\left(\frac{9}{12}, \frac{7}{12}\right)$

(2) $\left(\frac{9}{10}, \frac{3}{8}\right)$ ➡ $\left(\frac{36}{40}, \frac{15}{40}\right)$

10 분수의 크기를 비교하여 ○안에 >, =, <를 알맞게 써넣으세요.

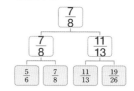

(1) $\frac{3}{5}$ ⬤> $\frac{5}{9}$

(2) $\frac{1}{6}$ ⬤< $\frac{4}{15}$

11 $\frac{17}{21}, \frac{5}{7}, \frac{11}{14}$의 크기를 비교하려고 합니다. ○안에 >, =, <를 알맞게 쓰고, ☐안에 알맞은 수를 써넣으세요.

$\frac{17}{21}$ ⬤> $\frac{5}{7}$, $\frac{5}{7}$ ⬤< $\frac{11}{14}$, $\frac{17}{21}$ ⬤> $\frac{11}{14}$

➡ $\boxed{\frac{5}{7}}$ < $\boxed{\frac{11}{14}}$ < $\boxed{\frac{17}{21}}$

12 두 분수의 크기를 비교하여 더 큰 분수를 위의 ☐ 안에 써넣으세요.

$\frac{7}{8}$

$\frac{7}{8}$ $\frac{11}{13}$

$\frac{5}{6}$ $\frac{7}{8}$ $\frac{11}{13}$ $\frac{19}{26}$

---

1 크기가 같은 분수는 분수만큼 색칠했을 때 색칠된 부분의 크기가 같습니다.

2 $\frac{2}{5}=\frac{2\times2}{5\times2}=\frac{4}{10}$, $\frac{2}{5}=\frac{2\times3}{5\times3}=\frac{6}{15}$, $\frac{2}{5}=\frac{2\times4}{5\times4}=\frac{8}{20}$

3 $\frac{6}{9}=\frac{6\times2}{9\times2}=\frac{12}{18}$, $\frac{6}{9}=\frac{6\div3}{9\div3}=\frac{2}{3}$

4 16과 24의 공약수는 1, 2, 4, 8이므로 분모와 분자를 각각 2, 4, 8로 나눕니다.

5 30과 42의 공약수는 1, 2, 3, 6이므로 분모와 분자를 각각 2, 3, 6으로 나눕니다.

$\frac{\overset{15}{30}}{\underset{21}{42}}=\frac{15}{21}$, $\frac{\overset{10}{30}}{\underset{14}{42}}=\frac{10}{14}$, $\frac{\overset{5}{30}}{\underset{7}{42}}=\frac{5}{7}$

6 (1) 28과 36의 최대공약수인 4로 분모와 분자를 각각 나눕니다.

(2) 45와 54의 최대공약수인 9로 분모와 분자를 각각 나눕니다.

7 두 분수의 분모가 같게 통분한 분모를 공통분모라고 하므로 공통분모는 6, 12……입니다.

8 (1) $\left(\frac{3}{7}, \frac{5}{8}\right)$ ➡ $\left(\frac{3\times8}{7\times8}, \frac{5\times7}{8\times7}\right)$ ➡ $\left(\frac{24}{56}, \frac{35}{56}\right)$

(2) $\left(\frac{1}{2}, \frac{4}{9}\right)$ ➡ $\left(\frac{1\times9}{2\times9}, \frac{4\times2}{9\times2}\right)$ ➡ $\left(\frac{9}{18}, \frac{8}{18}\right)$

9 (1) $\left(\frac{3}{4}, \frac{7}{12}\right)$ ➡ $\left(\frac{3\times3}{4\times3}, \frac{7}{12}\right)$ ➡ $\left(\frac{9}{12}, \frac{7}{12}\right)$

(2) $\left(\frac{9}{10}, \frac{3}{8}\right)$ ➡ $\left(\frac{9\times4}{10\times4}, \frac{3\times5}{8\times5}\right)$ ➡ $\left(\frac{36}{40}, \frac{15}{40}\right)$

10 (1) $\left(\frac{3}{5}, \frac{5}{9}\right)$ ➡ $\left(\frac{27}{45}, \frac{25}{45}\right)$ ➡ $\frac{3}{5}>\frac{5}{9}$

(2) $\left(\frac{1}{6}, \frac{4}{15}\right)$ ➡ $\left(\frac{5}{30}, \frac{8}{30}\right)$ ➡ $\frac{1}{6}<\frac{4}{15}$

11 $\cdot\left(\frac{17}{21}, \frac{5}{7}\right)$ ➡ $\left(\frac{17}{21}, \frac{15}{21}\right)$ ➡ $\frac{17}{21}>\frac{5}{7}$

$\cdot\left(\frac{5}{7}, \frac{11}{14}\right)$ ➡ $\left(\frac{10}{14}, \frac{11}{14}\right)$ ➡ $\frac{5}{7}<\frac{11}{14}$

$\cdot\left(\frac{17}{21}, \frac{11}{14}\right)$ ➡ $\left(\frac{34}{42}, \frac{33}{42}\right)$ ➡ $\frac{17}{21}>\frac{11}{14}$

12 $\cdot\left(\frac{5}{6}, \frac{7}{8}\right)$ ➡ $\left(\frac{20}{24}, \frac{21}{24}\right)$ ➡ $\frac{5}{6}<\frac{7}{8}$

$\cdot\left(\frac{11}{13}, \frac{19}{26}\right)$ ➡ $\left(\frac{22}{26}, \frac{19}{26}\right)$ ➡ $\frac{11}{13}>\frac{19}{26}$

$\cdot\left(\frac{7}{8}, \frac{11}{13}\right)$ ➡ $\left(\frac{91}{104}, \frac{88}{104}\right)$ ➡ $\frac{7}{8}>\frac{11}{13}$

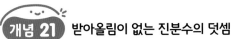 **개념 21** 받아올림이 없는 진분수의 덧셈

방법 1 두 분모의 곱을 공통분모로 하여 통분한 후 더합니다.

$$\frac{1}{6}+\frac{3}{8}=\frac{1\times8}{6\times8}+\frac{3\times6}{8\times6}=\frac{8}{48}+\frac{18}{48}=\frac{26}{48}=\frac{13}{24}$$

└ 두 분모 6과 8의 곱: 6×8=48 　　 기약분수로 나타내기

방법 2 두 분모의 최소공배수를 공통분모로 하여 통분한 후 더합니다.

$$\frac{1}{6}+\frac{3}{8}=\frac{1\times4}{6\times4}+\frac{3\times3}{8\times3}=\frac{4}{24}+\frac{9}{24}=\frac{13}{24}$$

└ 두 분모 6과 8의 최소공배수: 24

그림을 보고 □ 안에 알맞은 수를 써넣으세요.

1

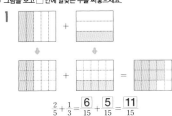

$$\frac{2}{5}+\frac{1}{3}=\frac{\boxed{6}}{15}+\frac{\boxed{5}}{15}=\frac{\boxed{11}}{15}$$

2

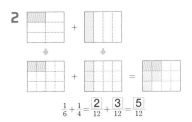

$$\frac{1}{6}+\frac{1}{4}=\frac{\boxed{2}}{12}+\frac{\boxed{3}}{12}=\frac{\boxed{5}}{12}$$

68 분수

개념 적용하기 ▶ 정답 15쪽

월　일

1 두 분수의 합만큼 그림에 색칠하고, □ 안에 알맞은 수를 써넣으세요.

(1)
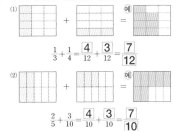

$$\frac{1}{3}+\frac{1}{4}=\frac{\boxed{4}}{12}+\frac{\boxed{3}}{12}=\frac{\boxed{7}}{12}$$

(2)

$$\frac{2}{5}+\frac{3}{10}=\frac{\boxed{4}}{10}+\frac{\boxed{3}}{10}=\frac{\boxed{7}}{10}$$

2 □ 안에 알맞은 수를 써넣으세요.

(1) $\frac{5}{8}+\frac{1}{3}=\frac{5\times\boxed{3}}{8\times3}+\frac{1\times\boxed{8}}{3\times8}=\frac{15}{24}+\frac{8}{24}=\frac{\boxed{23}}{24}$

(2) $\frac{3}{4}+\frac{1}{10}=\frac{3\times\boxed{5}}{4\times5}+\frac{1\times\boxed{2}}{10\times2}=\frac{15}{20}+\frac{2}{20}=\frac{\boxed{17}}{20}$

3 계산을 하세요.

(1) $\frac{1}{2}+\frac{1}{5}=\frac{7}{10}$ 　　(2) $\frac{1}{9}+\frac{1}{2}=\frac{11}{18}$

(3) $\frac{5}{8}+\frac{1}{4}=\frac{7}{8}$ 　　(4) $\frac{3}{10}+\frac{4}{15}=\frac{17}{30}$

(5) $\frac{2}{7}+\frac{3}{5}=\frac{31}{35}$ 　　(6) $\frac{7}{12}+\frac{3}{16}=\frac{37}{48}$

5. 분모가 다른 분수의 덧셈 69

 개념 22 받아올림이 있는 진분수의 덧셈

방법 1 두 분모의 곱을 공통분모로 하여 통분한 후 더합니다.

$$\frac{5}{6}+\frac{3}{8}=\frac{5\times8}{6\times8}+\frac{3\times6}{8\times6}=\frac{40}{48}+\frac{18}{48}=\frac{58}{48}=1\frac{10}{48}=1\frac{5}{24}$$

└ 두 분모 6과 8의 곱: 6×8=48 　 기약분수로 나타내기　계산 결과를 대분수로 나타내기

방법 2 두 분모의 최소공배수를 공통분모로 하여 통분한 후 더합니다.

$$\frac{5}{6}+\frac{3}{8}=\frac{5\times4}{6\times4}+\frac{3\times3}{8\times3}=\frac{20}{24}+\frac{9}{24}=\frac{29}{24}=1\frac{5}{24}$$

└ 두 분모 6과 8의 최소공배수: 24　계산 결과를 대분수로 나타내기

그림을 보고 □ 안에 알맞은 수를 써넣으세요.

1

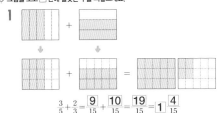

$$\frac{3}{5}+\frac{2}{3}=\frac{\boxed{9}}{15}+\frac{\boxed{10}}{15}=\frac{\boxed{19}}{15}=1\frac{\boxed{4}}{15}$$

2

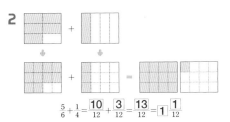

$$\frac{5}{6}+\frac{1}{4}=\frac{\boxed{10}}{12}+\frac{\boxed{3}}{12}=\frac{\boxed{13}}{12}=1\frac{\boxed{1}}{12}$$

70 분수

개념 적용하기 ▶ 정답 15쪽

월　일

1 두 분수의 합만큼 그림에 색칠하고, □ 안에 알맞은 수를 써넣으세요.

(1)
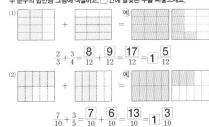

$$\frac{2}{3}+\frac{3}{4}=\frac{\boxed{8}}{12}+\frac{\boxed{9}}{12}=\frac{\boxed{17}}{12}=1\frac{\boxed{5}}{12}$$

(2)

$$\frac{7}{10}+\frac{3}{5}=\frac{\boxed{7}}{10}+\frac{\boxed{6}}{10}=\frac{\boxed{13}}{10}=1\frac{\boxed{3}}{10}$$

2 □ 안에 알맞은 수를 써넣으세요.

(1) $\frac{3}{4}+\frac{4}{5}=\frac{3\times\boxed{5}}{4\times5}+\frac{4\times\boxed{4}}{5\times4}=\frac{15}{20}+\frac{16}{20}=\frac{31}{20}=1\frac{\boxed{11}}{20}$

(2) $\frac{7}{9}+\frac{5}{12}=\frac{7\times\boxed{4}}{9\times4}+\frac{5\times\boxed{3}}{12\times3}=\frac{28}{36}+\frac{15}{36}=\frac{43}{36}=1\frac{\boxed{7}}{36}$

3 계산을 하세요.

(1) $\frac{1}{4}+\frac{7}{8}=1\frac{1}{8}$ 　　(2) $\frac{16}{27}+\frac{4}{9}=1\frac{1}{27}$

(3) $\frac{5}{9}+\frac{3}{5}=1\frac{7}{45}$ 　　(4) $\frac{7}{24}+\frac{5}{6}=1\frac{1}{8}$

(5) $\frac{9}{11}+\frac{1}{3}=1\frac{5}{33}$ 　　(6) $\frac{13}{18}+\frac{7}{12}=1\frac{11}{36}$

5. 분모가 다른 분수의 덧셈 71

개념 23 받아올림이 없는 대분수의 덧셈

방법1 자연수 부분끼리 더하고 진분수 부분끼리 더합니다.

$$1\frac{1}{4}+2\frac{2}{3}=1\frac{3}{12}+2\frac{8}{12}=(1+2)+\left(\frac{3}{12}+\frac{8}{12}\right)=3+\frac{11}{12}=3\frac{11}{12}$$

통분

방법2 대분수를 가분수로 나타내어 더합니다.

대분수 → 가분수

$$1\frac{1}{4}+2\frac{2}{3}=\frac{5}{4}+\frac{8}{3}=\frac{15}{12}+\frac{32}{12}=\frac{47}{12}=3\frac{11}{12}$$

통분   계산 결과를 대분수로 나타내기

그림을 보고 □ 안에 알맞은 수를 써넣으세요.

1

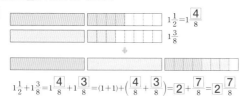

$1\frac{1}{2}=1\frac{\boxed{4}}{8}$
$1\frac{3}{8}$

$$1\frac{1}{2}+1\frac{3}{8}=1\frac{\boxed{4}}{8}+1\frac{3}{8}=(1+1)+\left(\frac{\boxed{4}}{8}+\frac{3}{8}\right)=2+\frac{\boxed{7}}{8}=2\frac{\boxed{7}}{8}$$

2

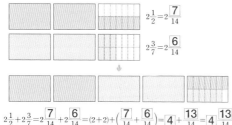

$2\frac{1}{2}=2\frac{\boxed{7}}{14}$
$2\frac{3}{7}=2\frac{\boxed{6}}{14}$

$$2\frac{1}{2}+2\frac{3}{7}=2\frac{\boxed{7}}{14}+2\frac{\boxed{6}}{14}=(2+2)+\left(\frac{\boxed{7}}{14}+\frac{\boxed{6}}{14}\right)=\boxed{4}+\frac{\boxed{13}}{14}=\boxed{4}\frac{13}{14}$$

72 분수

개념 적용하기

▶ 정답 16쪽

월   일

1 두 분수의 합만큼 그림에 색칠하고, □ 안에 알맞은 수를 써넣으세요.

(1)

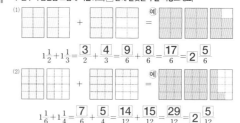

$$1\frac{1}{2}+1\frac{1}{3}=\frac{\boxed{3}}{2}+\frac{\boxed{4}}{3}=\frac{\boxed{9}}{6}+\frac{\boxed{8}}{6}=\frac{\boxed{17}}{6}=\boxed{2}\frac{\boxed{5}}{6}$$

(2)

$$1\frac{1}{6}+1\frac{1}{4}=\frac{\boxed{7}}{6}+\frac{\boxed{5}}{4}=\frac{\boxed{14}}{12}+\frac{\boxed{15}}{12}=\frac{\boxed{29}}{12}=\boxed{2}\frac{\boxed{5}}{12}$$

2 $4\frac{1}{2}+1\frac{2}{9}$ 를 2가지 방법으로 계산하세요.

방법1 자연수 부분끼리 더하고 진분수 부분끼리 더하기

$$4\frac{1}{2}+1\frac{2}{9}=4\frac{\boxed{9}}{18}+1\frac{\boxed{4}}{18}=(4+1)+\left(\frac{\boxed{9}}{18}+\frac{\boxed{4}}{18}\right)=5+\frac{\boxed{13}}{18}$$
$$=5\frac{\boxed{13}}{18}$$

방법2 대분수를 가분수로 나타내어 더하기

$$4\frac{1}{2}+1\frac{2}{9}=\frac{\boxed{9}}{2}+\frac{\boxed{11}}{9}=\frac{\boxed{81}}{18}+\frac{\boxed{22}}{18}=\frac{\boxed{103}}{18}=5\frac{\boxed{13}}{18}$$

3 계산을 하세요.

(1) $2\frac{1}{6}+1\frac{5}{12}=3\frac{7}{12}$

(2) $2\frac{1}{4}+3\frac{2}{5}=5\frac{13}{20}$

(3) $1\frac{5}{7}+3\frac{1}{4}=4\frac{27}{28}$

(4) $1\frac{1}{3}+5\frac{2}{7}=6\frac{13}{21}$

(5) $3\frac{1}{3}+4\frac{5}{8}=7\frac{23}{24}$

(6) $6\frac{4}{9}+3\frac{1}{6}=9\frac{11}{18}$

개념 24 받아올림이 있는 대분수의 덧셈

방법1 자연수 부분끼리 더하고 진분수 부분끼리 더합니다.

$$2\frac{3}{4}+1\frac{2}{3}=2\frac{9}{12}+1\frac{8}{12}=(2+1)+\left(\frac{9}{12}+\frac{8}{12}\right)=3+\frac{17}{12}=3+1\frac{5}{12}=4\frac{5}{12}$$

통분   진분수 부분의 합이 가분수이므로 대분수로 나타내기

방법2 대분수를 가분수로 나타내어 더합니다.

대분수 → 가분수

$$2\frac{3}{4}+1\frac{2}{3}=\frac{11}{4}+\frac{5}{3}=\frac{33}{12}+\frac{20}{12}=\frac{53}{12}=4\frac{5}{12}$$

통분   계산 결과를 대분수로 나타내기

그림을 보고 □ 안에 알맞은 수를 써넣으세요.

1

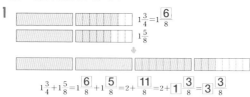

$1\frac{3}{4}=1\frac{\boxed{6}}{8}$
$1\frac{5}{8}$

$$1\frac{3}{4}+1\frac{5}{8}=1\frac{\boxed{6}}{8}+1\frac{5}{8}=2+\frac{\boxed{11}}{8}=2+\boxed{1}\frac{\boxed{3}}{8}=\boxed{3}\frac{3}{8}$$

2

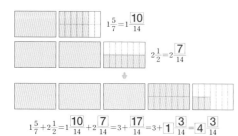

$1\frac{5}{7}=1\frac{\boxed{10}}{14}$
$2\frac{1}{2}=2\frac{\boxed{7}}{14}$

$$1\frac{5}{7}+2\frac{1}{2}=1\frac{\boxed{10}}{14}+2\frac{\boxed{7}}{14}=3+\frac{\boxed{17}}{14}=3+\boxed{1}\frac{\boxed{3}}{14}=\boxed{4}\frac{3}{14}$$

74 분수

개념 적용하기

▶ 정답 16쪽

월   일

1 두 분수의 합만큼 그림에 색칠하고, □ 안에 알맞은 수를 써넣으세요.

(1)

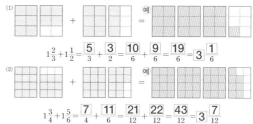

$$1\frac{2}{3}+1\frac{1}{2}=\frac{\boxed{5}}{3}+\frac{\boxed{3}}{2}=\frac{\boxed{10}}{6}+\frac{\boxed{9}}{6}=\frac{\boxed{19}}{6}=\boxed{3}\frac{1}{6}$$

(2)

$$1\frac{3}{4}+1\frac{5}{6}=\frac{\boxed{7}}{4}+\frac{\boxed{11}}{6}=\frac{\boxed{21}}{12}+\frac{\boxed{22}}{12}=\frac{\boxed{43}}{12}=\boxed{3}\frac{7}{12}$$

2 $3\frac{4}{7}+2\frac{2}{3}$ 를 2가지 방법으로 계산하세요.

방법1 자연수 부분끼리 더하고 진분수 부분끼리 더하기

$$3\frac{4}{7}+2\frac{2}{3}=3\frac{\boxed{12}}{21}+2\frac{\boxed{14}}{21}=(3+2)+\left(\frac{\boxed{12}}{21}+\frac{\boxed{14}}{21}\right)=5+\frac{\boxed{26}}{21}$$
$$=5+1\frac{5}{21}$$
$$=6\frac{5}{21}$$

방법2 대분수를 가분수로 나타내어 더하기

$$3\frac{4}{7}+2\frac{2}{3}=\frac{\boxed{25}}{7}+\frac{\boxed{8}}{3}=\frac{\boxed{75}}{21}+\frac{\boxed{56}}{21}=\frac{\boxed{131}}{21}=6\frac{5}{21}$$

3 계산을 하세요.

(1) $2\frac{5}{6}+2\frac{4}{9}=5\frac{5}{18}$

(2) $5\frac{4}{5}+3\frac{1}{3}=9\frac{2}{15}$

(3) $3\frac{7}{9}+2\frac{3}{4}=6\frac{19}{36}$

(4) $7\frac{3}{5}+4\frac{1}{2}=12\frac{1}{10}$

(5) $3\frac{5}{7}+1\frac{3}{8}=5\frac{5}{56}$

(6) $1\frac{3}{10}+3\frac{11}{12}=5\frac{13}{60}$

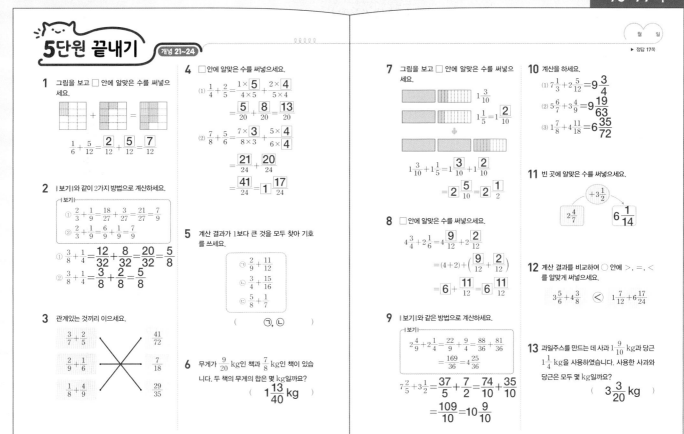

2 ①은 두 분모의 곱을 공통분모로 하여 통분한 후 더하는 방법이고, ②는 두 분모의 최소공배수를 공통분모로 하여 통분한 후 더하는 방법입니다.

3
$\cdot \dfrac{3}{7}+\dfrac{2}{5}=\dfrac{15}{35}+\dfrac{14}{35}=\dfrac{29}{35}$

$\cdot \dfrac{2}{9}+\dfrac{1}{6}=\dfrac{4}{18}+\dfrac{3}{18}=\dfrac{7}{18}$

$\cdot \dfrac{1}{8}+\dfrac{4}{9}=\dfrac{9}{72}+\dfrac{32}{72}=\dfrac{41}{72}$

4 두 분모의 최소공배수를 공통분모로 하여 통분한 후 더하고, 계산 결과가 가분수이면 대분수로 나타냅니다.

5 ㉠ $\dfrac{2}{9}+\dfrac{11}{12}=\dfrac{8}{36}+\dfrac{33}{36}=\dfrac{41}{36}=1\dfrac{5}{36}$

㉡ $\dfrac{3}{4}+\dfrac{15}{16}=\dfrac{12}{16}+\dfrac{15}{16}=\dfrac{27}{16}=1\dfrac{11}{16}$

㉢ $\dfrac{5}{8}+\dfrac{1}{7}=\dfrac{35}{56}+\dfrac{8}{56}=\dfrac{43}{56}$

6 (두 책의 무게의 합)
$=\dfrac{9}{20}+\dfrac{7}{8}=\dfrac{18}{40}+\dfrac{35}{40}=\dfrac{53}{40}=1\dfrac{13}{40}$ (kg)

7 두 분모의 최소공배수를 공통분모로 하여 통분한 후 자연수 부분끼리 더하고 진분수 부분끼리 더합니다.

8 자연수 부분끼리 더하고 진분수 부분끼리 더하여 계산합니다.

9 대분수를 가분수로 나타내어 더하고, 계산 결과를 다시 대분수로 나타냅니다.

10 (1) $7\dfrac{1}{3}+2\dfrac{5}{12}=7\dfrac{4}{12}+2\dfrac{5}{12}=9\dfrac{9}{12}=9\dfrac{3}{4}$

(2) $5\dfrac{6}{7}+3\dfrac{4}{9}=5\dfrac{54}{63}+3\dfrac{28}{63}=8\dfrac{82}{63}=9\dfrac{19}{63}$

(3) $1\dfrac{7}{8}+4\dfrac{11}{18}=1\dfrac{63}{72}+4\dfrac{44}{72}=5\dfrac{107}{72}=6\dfrac{35}{72}$

11 $2\dfrac{4}{7}+3\dfrac{1}{2}=2\dfrac{8}{14}+3\dfrac{7}{14}=5\dfrac{15}{14}=6\dfrac{1}{14}$

12 $\cdot 3\dfrac{5}{6}+4\dfrac{3}{8}=3\dfrac{20}{24}+4\dfrac{9}{24}=7\dfrac{29}{24}=8\dfrac{5}{24}$

$\cdot 1\dfrac{7}{12}+6\dfrac{17}{24}=1\dfrac{14}{24}+6\dfrac{17}{24}=7\dfrac{31}{24}=8\dfrac{7}{24}$

➡ $8\dfrac{5}{24}<8\dfrac{7}{24}$

13 (사용한 사과의 양)+(사용한 당근의 양)
$=1\dfrac{9}{10}+1\dfrac{1}{4}=1\dfrac{18}{20}+1\dfrac{5}{20}$
$=2\dfrac{23}{20}=3\dfrac{3}{20}$ (kg)

개념 25 진분수의 뺄셈

방법 1 두 분모의 곱을 공통분모로 하여 통분한 후 뺍니다.
$$\frac{5}{6} - \frac{2}{9} = \frac{5\times9}{6\times9} - \frac{2\times6}{9\times6} = \frac{45}{54} - \frac{12}{54} = \frac{33}{54} = \frac{11}{18}$$
두 분모 6과 9의 곱: 6×9=54   기약분수로 나타내기

방법 2 두 분모의 최소공배수를 공통분모로 하여 통분한 후 뺍니다.
$$\frac{5}{6} - \frac{2}{9} = \frac{5\times3}{6\times3} - \frac{2\times2}{9\times2} = \frac{15}{18} - \frac{4}{18} = \frac{11}{18}$$
두 분모 6과 9의 최소공배수: 18

그림을 보고 □안에 알맞은 수를 써넣으세요.

1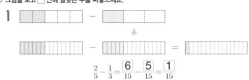
$$\frac{2}{5} - \frac{1}{3} = \frac{6}{15} - \frac{5}{15} = \frac{1}{15}$$

2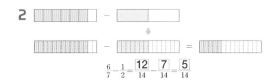
$$\frac{6}{7} - \frac{1}{2} = \frac{12}{14} - \frac{7}{14} = \frac{5}{14}$$

3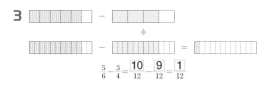
$$\frac{5}{6} - \frac{3}{4} = \frac{10}{12} - \frac{9}{12} = \frac{1}{12}$$

개념 적용하기 ▶ 정답 18쪽

1 두 분수의 차만큼 그림에 색칠하고, □안에 알맞은 수를 써넣으세요.

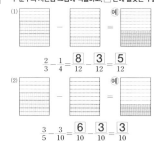

(1) $\frac{2}{3} - \frac{1}{4} = \frac{8}{12} - \frac{3}{12} = \frac{5}{12}$

(2) $\frac{3}{5} - \frac{3}{10} = \frac{6}{10} - \frac{3}{10} = \frac{3}{10}$

2 □안에 알맞은 수를 써넣으세요.

(1) $\frac{1}{2} - \frac{1}{5} = \frac{1\times5}{2\times5} - \frac{1\times2}{5\times2} = \frac{5}{10} - \frac{2}{10} = \frac{3}{10}$

(2) $\frac{3}{8} - \frac{1}{6} = \frac{3\times3}{8\times3} - \frac{1\times4}{6\times4} = \frac{9}{24} - \frac{4}{24} = \frac{5}{24}$

3 계산을 하세요.

(1) $\frac{4}{5} - \frac{5}{8} = \frac{7}{40}$ (2) $\frac{8}{9} - \frac{3}{4} = \frac{5}{36}$

(3) $\frac{5}{9} - \frac{3}{8} = \frac{13}{72}$ (4) $\frac{5}{12} - \frac{1}{3} = \frac{1}{12}$

(5) $\frac{13}{20} - \frac{7}{15} = \frac{11}{60}$ (6) $\frac{3}{5} - \frac{7}{16} = \frac{13}{80}$

개념 26 받아내림이 없는 대분수의 뺄셈

방법 1 자연수 부분끼리 빼고 진분수 부분끼리 뺍니다.
$$4\frac{3}{4} - 2\frac{1}{3} = 4\frac{9}{12} - 2\frac{4}{12} = (4-2)+\left(\frac{9}{12} - \frac{4}{12}\right) = 2 + \frac{5}{12} = 2\frac{5}{12}$$
통분

방법 2 대분수를 가분수로 나타내어 뺍니다.
대분수 → 가분수
$$4\frac{3}{4} - 2\frac{1}{3} = \frac{19}{4} - \frac{7}{3} = \frac{57}{12} - \frac{28}{12} = \frac{29}{12} = 2\frac{5}{12}$$
통분   계산 결과를 대분수로 나타내기

그림을 보고 □안에 알맞은 수를 써넣으세요.

1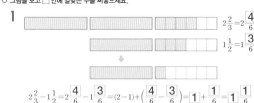
$2\frac{2}{3} = 2\frac{4}{6}$
$1\frac{1}{2} = 1\frac{3}{6}$
$$2\frac{2}{3} - 1\frac{1}{2} = 2\frac{4}{6} - 1\frac{3}{6} = (2-1)+\left(\frac{4}{6} - \frac{3}{6}\right) = 1 + \frac{1}{6} = 1\frac{1}{6}$$

2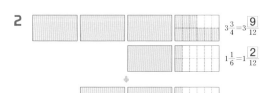
$3\frac{3}{4} = 3\frac{9}{12}$
$1\frac{1}{6} = 1\frac{2}{12}$
$$3\frac{3}{4} - 1\frac{1}{6} = 3\frac{9}{12} - 1\frac{2}{12} = (3-1)+\left(\frac{9}{12} - \frac{2}{12}\right) = 2 + \frac{7}{12} = 2\frac{7}{12}$$

개념 적용하기 ▶ 정답 18쪽

1 두 분수의 차만큼 그림에 색칠하고, □안에 알맞은 수를 써넣으세요.

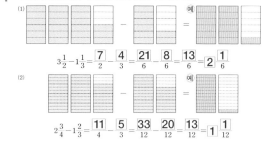

(1) $3\frac{1}{2} - 1\frac{1}{3} = \frac{7}{2} - \frac{4}{3} = \frac{21}{6} - \frac{8}{6} = \frac{13}{6} = 2\frac{1}{6}$

(2) $2\frac{3}{4} - 1\frac{2}{3} = \frac{11}{4} - \frac{5}{3} = \frac{33}{12} - \frac{20}{12} = \frac{13}{12} = 1\frac{1}{12}$

2 $5\frac{1}{2} - 2\frac{2}{9}$ 를 2가지 방법으로 계산하세요.

방법 1 자연수 부분끼리 빼고 진분수 부분끼리 빼기
$$5\frac{1}{2} - 2\frac{2}{9} = 5\frac{9}{18} - 2\frac{4}{18} = (5-2)+\left(\frac{9}{18} - \frac{4}{18}\right) = 3 + \frac{5}{18} = 3\frac{5}{18}$$

방법 2 대분수를 가분수로 나타내어 빼기
$$5\frac{1}{2} - 2\frac{2}{9} = \frac{11}{2} - \frac{20}{9} = \frac{99}{18} - \frac{40}{18} = \frac{59}{18} = 3\frac{5}{18}$$

3 계산을 하세요.

(1) $4\frac{1}{2} - 2\frac{1}{5} = 2\frac{3}{10}$ (2) $5\frac{2}{3} - 3\frac{1}{8} = 2\frac{13}{24}$

(3) $4\frac{5}{6} - 1\frac{2}{3} = 3\frac{1}{6}$ (4) $8\frac{5}{7} - 2\frac{2}{5} = 6\frac{11}{35}$

(5) $5\frac{11}{12} - 1\frac{3}{4} = 4\frac{1}{6}$ (6) $6\frac{5}{14} - 3\frac{1}{4} = 3\frac{3}{28}$

개념 27 받아내림이 있는 대분수의 뺄셈

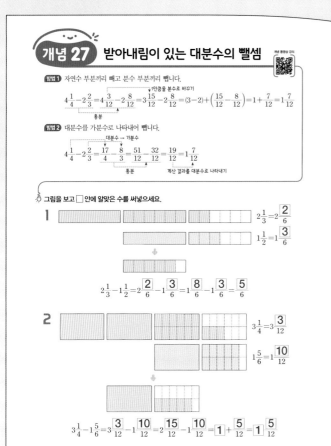

방법1 자연수 부분끼리 빼고 분수 부분끼리 뺍니다.

1만큼을 분수로 바꾸기

$$4\frac{1}{4}-2\frac{2}{3}=4\frac{3}{12}-2\frac{8}{12}=3\frac{15}{12}-2\frac{8}{12}=(3-2)+\left(\frac{15}{12}-\frac{8}{12}\right)=1+\frac{7}{12}=1\frac{7}{12}$$

통분

방법2 대분수를 가분수로 나타내어 뺍니다.

대분수 → 가분수

$$4\frac{1}{4}-2\frac{2}{3}=\frac{17}{4}-\frac{8}{3}=\frac{51}{12}-\frac{32}{12}=\frac{19}{12}=1\frac{7}{12}$$

통분   계산 결과를 대분수로 나타내기

그림을 보고 □안에 알맞은 수를 써넣으세요.

1

$2\frac{1}{3}=2\frac{2}{6}$

$1\frac{1}{2}=1\frac{3}{6}$

$$2\frac{1}{3}-1\frac{1}{2}=2\frac{2}{6}-1\frac{3}{6}=1\frac{8}{6}-1\frac{3}{6}=\frac{5}{6}$$

2

$3\frac{1}{4}=3\frac{3}{12}$

$1\frac{5}{6}=1\frac{10}{12}$

$$3\frac{1}{4}-1\frac{5}{6}=3\frac{3}{12}-1\frac{10}{12}=2\frac{15}{12}-1\frac{10}{12}=1+\frac{5}{12}=1\frac{5}{12}$$

84 분수

개념 적용하기

▶ 정답 19쪽

1 두 분수의 차만큼 그림에 색칠하고, □안에 알맞은 수를 써넣으세요.

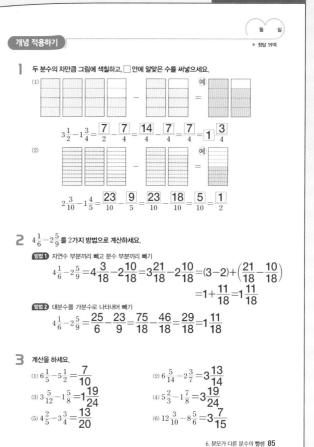

(1)

$$3\frac{1}{2}-1\frac{3}{4}=\frac{7}{2}-\frac{7}{4}=\frac{14}{4}-\frac{7}{4}=\frac{7}{4}=1\frac{3}{4}$$

(2)

$$2\frac{3}{10}-1\frac{4}{5}=\frac{23}{10}-\frac{9}{5}=\frac{23}{10}-\frac{18}{10}=\frac{5}{10}=\frac{1}{2}$$

2 $4\frac{1}{6}-2\frac{5}{9}$ 를 2가지 방법으로 계산하세요.

방법1 자연수 부분끼리 빼고 분수 부분끼리 빼기

$$4\frac{1}{6}-2\frac{5}{9}=4\frac{3}{18}-2\frac{10}{18}=3\frac{21}{18}-2\frac{10}{18}=(3-2)+\left(\frac{21}{18}-\frac{10}{18}\right)$$
$$=1+\frac{11}{18}=1\frac{11}{18}$$

방법2 대분수를 가분수로 나타내어 빼기

$$4\frac{1}{6}-2\frac{5}{9}=\frac{25}{6}-\frac{23}{9}=\frac{75}{18}-\frac{46}{18}=\frac{29}{18}=1\frac{11}{18}$$

3 계산을 하세요.

(1) $6\frac{1}{5}-5\frac{1}{2}=\frac{7}{10}$

(2) $6\frac{5}{14}-2\frac{3}{7}=3\frac{13}{14}$

(3) $3\frac{5}{12}-1\frac{5}{8}=1\frac{19}{24}$

(4) $5\frac{2}{3}-1\frac{7}{8}=3\frac{19}{24}$

(5) $4\frac{2}{5}-3\frac{3}{4}=\frac{13}{20}$

(6) $12\frac{3}{10}-8\frac{5}{6}=3\frac{7}{15}$

6. 분모가 다른 분수의 뺄셈 85

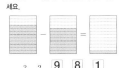 개념 25~27

1 그림을 보고 □ 안에 알맞은 수를 써넣으세요.

$$\frac{3}{4} - \frac{2}{3} = \frac{\boxed{9}}{12} - \frac{\boxed{8}}{12} = \frac{\boxed{1}}{12}$$

2 □ 안에 알맞은 수를 써넣으세요.

$$\frac{5}{6} - \frac{3}{8} = \frac{5 \times 4}{6 \times 4} - \frac{3 \times \boxed{3}}{8 \times \boxed{3}}$$
$$= \frac{\boxed{20}}{24} - \frac{\boxed{9}}{24} = \frac{\boxed{11}}{24}$$

3 $\frac{1}{4} - \frac{1}{6}$ 을 2가지 방법으로 계산하세요.

방법1 두 분모의 곱을 공통분모로 하여 통분한 후 빼기

$$\frac{1}{4} - \frac{1}{6} = \frac{1 \times 6}{4 \times 6} - \frac{1 \times 4}{6 \times 4}$$
$$= \frac{6}{24} - \frac{4}{24} = \frac{2}{24} = \frac{1}{12}$$

방법2 두 분모의 최소공배수를 공통분모로 하여 통분한 후 빼기

$$\frac{1}{4} - \frac{1}{6} = \frac{1 \times 3}{4 \times 3} - \frac{1 \times 2}{6 \times 2}$$
$$= \frac{3}{12} - \frac{2}{12} = \frac{1}{12}$$

4 계산을 하세요.

(1) $\frac{7}{9} - \frac{3}{5} = \frac{8}{45}$

(2) $\frac{4}{7} - \frac{3}{8} = \frac{11}{56}$

(3) $\frac{7}{12} - \frac{5}{9} = \frac{1}{36}$

5 관계있는 것끼리 이으세요.

$\frac{7}{8} - \frac{1}{2}$
$\frac{8}{9} - \frac{1}{6}$
$\frac{11}{12} - \frac{3}{4}$

$\frac{13}{18}$
$\frac{1}{6}$
$\frac{3}{8}$

6 윤주는 빨간색 테이프 $\frac{9}{10}$ m와 파란색 테이프 $\frac{2}{5}$ m를 가지고 있습니다. 어느 색 테이프가 몇 m 더 길까요?

(빨간색 테이프) ($\frac{1}{2}$ m)

7 그림을 보고 □ 안에 알맞은 수를 써넣으세요.

$$3\frac{1}{2} - 1\frac{2}{5} = 3\frac{\boxed{5}}{10} - 1\frac{\boxed{4}}{10} = 2\frac{\boxed{1}}{10}$$

8 □ 안에 알맞은 수를 써넣으세요.

$$6\frac{5}{7} - 3\frac{1}{4} = 6\frac{\boxed{20}}{28} - 3\frac{\boxed{7}}{28}$$
$$= (6-\boxed{3}) + \left(\frac{\boxed{20}}{28} - \frac{\boxed{7}}{28}\right)$$
$$= \boxed{3} + \frac{\boxed{13}}{28} = 3\frac{\boxed{13}}{28}$$

9 보기와 같은 방법으로 계산하세요.

보기

$$5\frac{1}{6} - 2\frac{5}{9} = \frac{31}{6} - \frac{23}{9} = \frac{93}{18} - \frac{46}{18}$$
$$= \frac{47}{18} = 2\frac{11}{18}$$

$$6\frac{2}{7} - 3\frac{1}{2} = \frac{44}{7} - \frac{7}{2} = \frac{88}{14} - \frac{49}{14}$$
$$= \frac{39}{14} = 2\frac{11}{14}$$

10 계산을 하세요.

(1) $4\frac{2}{3} - 1\frac{1}{4} = 3\frac{5}{12}$

(2) $7\frac{4}{9} - 5\frac{2}{3} = 1\frac{7}{9}$

(3) $9\frac{3}{11} - 6\frac{4}{7} = 2\frac{54}{77}$

11 빈 곳에 알맞은 수를 써넣으세요.

$5\frac{1}{3}$ $-3\frac{5}{8}$ $1\frac{17}{24}$

12 계산 결과를 비교하여 ○ 안에 >, =, < 를 알맞게 써넣으세요.

$$7\frac{5}{6} - 2\frac{8}{9} \enspace \bigcirc= \enspace 8\frac{1}{2} - 3\frac{5}{9}$$

13 물통에 물이 $3\frac{13}{20}$ L 들어 있었습니다. 그중에서 $1\frac{11}{16}$ L를 사용하였습니다. 남은 물은 몇 L일까요?

($1\frac{77}{80}$ L)

---

2 6과 8의 최소공배수인 24를 공통분모로 하여 두 분수를 통분한 다음 차를 구합니다.

4 (1) $\frac{7}{9} - \frac{3}{5} = \frac{35}{45} - \frac{27}{45} = \frac{8}{45}$

(2) $\frac{4}{7} - \frac{3}{8} = \frac{32}{56} - \frac{21}{56} = \frac{11}{56}$

(3) $\frac{7}{12} - \frac{5}{9} = \frac{21}{36} - \frac{20}{36} = \frac{1}{36}$

5 · $\frac{7}{8} - \frac{1}{2} = \frac{7}{8} - \frac{4}{8} = \frac{3}{8}$

· $\frac{8}{9} - \frac{1}{6} = \frac{16}{18} - \frac{3}{18} = \frac{13}{18}$

· $\frac{11}{12} - \frac{3}{4} = \frac{11}{12} - \frac{9}{12} = \frac{2}{12} = \frac{1}{6}$

6 $\frac{9}{10} > \frac{2}{5}\left(=\frac{4}{10}\right)$ 이고

$\frac{9}{10} - \frac{2}{5} = \frac{9}{10} - \frac{4}{10} = \frac{5}{10} = \frac{1}{2}$ 입니다.

➡ 빨간색 테이프가 $\frac{1}{2}$ m 더 깁니다.

8 두 분수를 통분한 후 자연수 부분끼리 빼고 진분수 부분끼리 뺍니다.

9 대분수를 가분수로 나타내어 뺍니다.

10 (1) $4\frac{2}{3} - 1\frac{1}{4} = 4\frac{8}{12} - 1\frac{3}{12} = 3\frac{5}{12}$

(2) $7\frac{4}{9} - 5\frac{2}{3} = 7\frac{4}{9} - 5\frac{6}{9} = 6\frac{13}{9} - 5\frac{6}{9} = 1\frac{7}{9}$

(3) $9\frac{3}{11} - 6\frac{4}{7} = 9\frac{21}{77} - 6\frac{44}{77}$
$$= 8\frac{98}{77} - 6\frac{44}{77} = 2\frac{54}{77}$$

11 $5\frac{1}{3} - 3\frac{5}{8} = 5\frac{8}{24} - 3\frac{15}{24}$
$$= 4\frac{32}{24} - 3\frac{15}{24} = 1\frac{17}{24}$$

12 · $7\frac{5}{6} - 2\frac{8}{9} = 7\frac{15}{18} - 2\frac{16}{18}$
$$= 6\frac{33}{18} - 2\frac{16}{18} = 4\frac{17}{18}$$

· $8\frac{1}{2} - 3\frac{5}{9} = 8\frac{9}{18} - 3\frac{10}{18}$
$$= 7\frac{27}{18} - 3\frac{10}{18} = 4\frac{17}{18}$$

13 (남은 물의 양) $= 3\frac{13}{20} - 1\frac{11}{16} = 3\frac{52}{80} - 1\frac{55}{80}$
$$= 2\frac{132}{80} - 1\frac{55}{80} = 1\frac{77}{80}$$ (L)

개념 28 (분수) × (자연수)

- (진분수) × (자연수)의 계산 방법
  분모는 그대로 두고 분자와 자연수를 곱합니다. 이때 약분이 되면 약분하여 계산합니다.

$$\frac{3}{8} \times 4 = \frac{3 \times \overset{1}{4}}{\underset{2}{8}} = \frac{3}{2} = 1\frac{1}{2}$$

→ 계산 결과를 대분수로 나타내기

- (대분수) × (자연수)의 계산 방법

  방법 1 대분수를 가분수로 나타내어 계산합니다.

  $$1\frac{1}{4} \times 3 = \frac{5}{4} \times 3 = \frac{15}{4} = 3\frac{3}{4}$$

  대분수 → 가분수   계산 결과를 대분수로 나타내기

  방법 2 대분수를 자연수 부분과 진분수 부분으로 구분하여 계산합니다.

  $$1\frac{1}{4} \times 3 = (1 \times 3) + \left(\frac{1}{4} \times 3\right) = 3 + \frac{3}{4} = 3\frac{3}{4}$$

그림을 보고 □안에 알맞은 수를 써넣으세요.

1

$$\frac{3}{4} \times 3 = \frac{3 \times \boxed{3}}{4} = \frac{\boxed{9}}{4} = \boxed{2}\frac{\boxed{1}}{4}$$

2

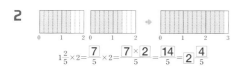

$$1\frac{2}{5} \times 2 = \frac{\boxed{7}}{5} \times 2 = \frac{\boxed{7} \times \boxed{2}}{5} = \frac{\boxed{14}}{5} = \boxed{2}\frac{\boxed{4}}{5}$$

3

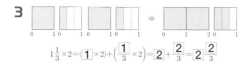

$$1\frac{1}{3} \times 2 = (\boxed{1} \times 2) + \left(\frac{\boxed{1}}{3} \times 2\right) = 2 + \frac{\boxed{2}}{3} = \boxed{2}\frac{\boxed{2}}{3}$$

---

1 분수와 자연수의 곱을 수직선에 나타내고, □안에 알맞은 수를 써넣으세요.

(1)
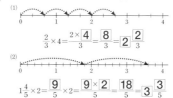

$$\frac{2}{3} \times 4 = \frac{2 \times \boxed{4}}{3} = \frac{\boxed{8}}{3} = \boxed{2}\frac{\boxed{2}}{3}$$

(2)

$$1\frac{4}{5} \times 2 = \frac{\boxed{9}}{5} \times 2 = \frac{\boxed{9} \times \boxed{2}}{5} = \frac{\boxed{18}}{5} = \boxed{3}\frac{\boxed{3}}{5}$$

2 $2\frac{4}{7} \times 3$을 2가지 방법으로 계산하려고 합니다. □안에 알맞은 수를 써넣으세요.

(1) $2\frac{4}{7} \times 3 = \frac{\boxed{18}}{7} \times 3 = \frac{\boxed{54}}{7} = \boxed{7}\frac{\boxed{5}}{7}$

(2) $2\frac{4}{7} \times 3 = (\boxed{2} \times 3) + \left(\frac{\boxed{4}}{7} \times 3\right) = 6 + \frac{\boxed{12}}{7} = 6 + 1\frac{\boxed{5}}{7} = \boxed{7}\frac{\boxed{5}}{7}$

3 계산을 하세요.

(1) $\frac{5}{6} \times 9 = 7\frac{1}{2}$

(2) $\frac{3}{10} \times 6 = 1\frac{4}{5}$

(3) $1\frac{1}{14} \times 8 = 8\frac{4}{7}$

(4) $2\frac{7}{9} \times 2 = 5\frac{5}{9}$

(5) $3\frac{2}{3} \times 5 = 18\frac{1}{3}$

(6) $3\frac{5}{8} \times 4 = 14\frac{1}{2}$

4 빈 곳에 알맞은 수를 써넣으세요.

(1) $\frac{2}{9}$ ──×7──→ $1\frac{5}{9}$

(2) $2\frac{1}{4}$ ──×2──→ $4\frac{1}{2}$

개념 29 (자연수) × (분수)

- (자연수) × (진분수)의 계산 방법
  분모는 그대로 두고 자연수와 분자를 곱합니다. 이때 약분이 되면 약분하여 계산합니다.

$$3 \times \frac{5}{6} = \frac{3 \times 5}{\underset{2}{6}} = \frac{5}{2} = 2\frac{1}{2}$$

→ 계산 결과를 대분수로 나타내기

- (자연수) × (대분수)의 계산 방법

  방법 1 대분수를 가분수로 나타내어 계산합니다.

  $$4 \times 1\frac{1}{5} = 4 \times \frac{6}{5} = \frac{24}{5} = 4\frac{4}{5}$$

  대분수 → 가분수   계산 결과를 대분수로 나타내기

  방법 2 대분수를 자연수 부분과 진분수 부분으로 구분하여 계산합니다.

  $$4 \times 1\frac{1}{5} = (4 \times 1) + \left(4 \times \frac{1}{5}\right) = 4 + \frac{4}{5} = 4\frac{4}{5}$$

그림을 보고 □안에 알맞은 수를 써넣으세요.

1

10의 $\frac{1}{5}$

$$10 \times \frac{1}{5} = \boxed{2}$$

2

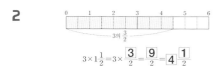

3의 $\frac{3}{2}$

$$3 \times 1\frac{1}{2} = 3 \times \frac{3}{2} = \frac{\boxed{9}}{2} = \boxed{4}\frac{\boxed{1}}{2}$$

3

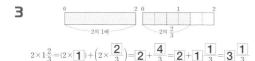

2의 1배   2의 $\frac{2}{3}$

$$2 \times 1\frac{2}{3} = (2 \times \boxed{1}) + \left(2 \times \frac{\boxed{2}}{3}\right) = \boxed{2} + \frac{\boxed{4}}{3} = \boxed{2} + 1\frac{\boxed{1}}{3} = \boxed{3}\frac{\boxed{1}}{3}$$

---

1 자연수와 분수의 곱만큼 그림에 색칠하고, □안에 알맞은 수를 써넣으세요.

(1)
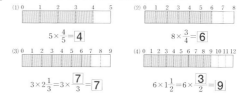

$$5 \times \frac{4}{5} = \boxed{4}$$

(2)

$$8 \times \frac{3}{4} = \boxed{6}$$

(3)

$$3 \times 2\frac{1}{3} = 3 \times \frac{\boxed{7}}{3} = \boxed{7}$$

(4)

$$6 \times 1\frac{1}{2} = 6 \times \frac{\boxed{3}}{2} = \boxed{9}$$

2 $9 \times 2\frac{1}{6}$ 을 2가지 방법으로 계산하세요.

방법 1 대분수를 가분수로 나타내어 계산하기

$$9 \times 2\frac{1}{6} = \overset{3}{9} \times \frac{13}{\underset{2}{6}} = \frac{39}{2} = 19\frac{1}{2}$$

방법 2 대분수를 자연수 부분과 진분수 부분으로 구분하여 계산하기

$$9 \times 2\frac{1}{6} = (9 \times 2) + \left(\overset{3}{9} \times \frac{1}{\underset{2}{6}}\right) = 18 + \frac{3}{2} = 18 + 1\frac{1}{2} = 19\frac{1}{2}$$

3 계산을 하세요.

(1) $6 \times \frac{1}{4} = 1\frac{1}{2}$

(2) $10 \times \frac{5}{6} = 8\frac{1}{3}$

(3) $2 \times 1\frac{3}{8} = 2\frac{3}{4}$

(4) $8 \times 1\frac{3}{5} = 12\frac{4}{5}$

(5) $3 \times 2\frac{3}{4} = 8\frac{1}{4}$

(6) $5 \times 1\frac{2}{15} = 5\frac{2}{3}$

개념 30 진분수의 곱셈

- (진분수)×(진분수)의 계산 방법
분자는 분자끼리, 분모는 분모끼리 곱합니다. 이때 약분이 되면 약분하여 계산합니다.

$$\frac{2}{3} \times \frac{3}{7} = \frac{2 \times \cancel{3}^1}{\cancel{3}_1 \times 7} = \frac{2}{7}$$

- 세 분수의 곱셈 계산 방법
앞에서부터 두 분수씩 차례로 계산하거나 세 분수를 한꺼번에 계산합니다.

$$\frac{4}{5} \times \frac{3}{4} \times \frac{5}{6} = \left(\frac{\cancel{4}^1}{5} \times \frac{3}{\cancel{4}_1}\right) \times \frac{5}{6} = \frac{3}{5} \times \frac{5}{6} = \frac{1}{2} \qquad \frac{\cancel{4}^1}{\cancel{5}_1} \times \frac{\cancel{3}^1}{\cancel{4}_1} \times \frac{\cancel{5}^1}{\cancel{6}_2} = \frac{1}{2}$$

그림을 보고 □ 안에 알맞은 수를 써넣으세요.

1
$$\frac{1}{3} \times \frac{1}{5} = \frac{1 \times 1}{3 \times 5} = \frac{1}{15}$$

2
$$\frac{2}{5} \times \frac{1}{7} = \frac{2 \times 1}{5 \times 7} = \frac{2}{35}$$

3
$$\frac{3}{4} \times \frac{3}{8} = \frac{3 \times 3}{4 \times 8} = \frac{9}{32}$$

4
$$\frac{5}{9} \times \frac{2}{3} = \frac{5 \times 2}{9 \times 3} = \frac{10}{27}$$

개념 적용하기
▶ 정답 22쪽
월   일

1 그림을 보고 □ 안에 알맞은 수를 써넣으세요.

$$\frac{1}{5} \times \frac{1}{4} \times \frac{1}{2} = \frac{1}{20} \times \frac{1}{2} = \frac{1}{40}$$

2 $\frac{7}{8} \times \frac{4}{9}$ 를 여러 가지 방법으로 계산하려고 합니다. □ 안에 알맞은 수를 써넣으세요.

(1) $\frac{7}{8} \times \frac{4}{9} = \frac{7 \times 4}{8 \times 9} = \frac{28}{72} = \frac{7}{18}$

(2) $\frac{7}{8} \times \frac{4}{9} = \frac{7 \times \cancel{4}^1}{\cancel{8}_2 \times 9} = \frac{7}{18}$

(3) $\frac{7}{\cancel{8}_2} \times \frac{\cancel{4}^1}{9} = \frac{7}{18}$

3 계산을 하세요.

(1) $\frac{3}{5} \times \frac{1}{2} = \frac{3}{10}$ 　　(2) $\frac{2}{7} \times \frac{3}{4} = \frac{3}{14}$

(3) $\frac{5}{6} \times \frac{2}{3} = \frac{5}{9}$ 　　(4) $\frac{9}{10} \times \frac{5}{8} = \frac{9}{16}$

(5) $\frac{1}{6} \times \frac{1}{2} \times \frac{1}{3} = \frac{1}{36}$ 　　(6) $\frac{1}{4} \times \frac{2}{9} \times \frac{4}{7} = \frac{2}{63}$

개념 31 대분수의 곱셈

대분수의 곱셈은 대분수를 가분수로 나타낸 다음 분자는 분자끼리, 분모는 분모끼리 곱합니다. 이때 약분이 되면 약분하여 계산합니다.

$$1\frac{2}{3} \times 2\frac{3}{5} = \frac{5}{3} \times \frac{13}{5} = \frac{5 \times 13}{3 \times 5} = \frac{13}{3} = 4\frac{1}{3}$$
대분수 → 가분수　　　　계산 결과를 대분수로 나타내기

그림을 보고 □ 안에 알맞은 수를 써넣으세요.

1
$$1\frac{5}{6} \times 1\frac{1}{2} = \frac{11}{6} \times \frac{3}{2} = \frac{\cancel{33}^{11}}{\cancel{12}_4} = \frac{11}{4} = 2\frac{3}{4}$$

2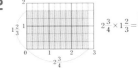
$$2\frac{3}{4} \times 1\frac{2}{3} = \frac{11}{4} \times \frac{5}{3} = \frac{55}{12} = 4\frac{7}{12}$$

3
$$2\frac{3}{5} \times 2\frac{1}{4} = \frac{13}{5} \times \frac{9}{4} = \frac{117}{20} = 5\frac{17}{20}$$

개념 적용하기
▶ 정답 22쪽
월   일

1 두 분수의 곱만큼 그림에 색칠하고, □ 안에 알맞은 수를 써넣으세요.

(1)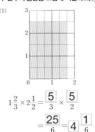
$$1\frac{2}{3} \times 2\frac{1}{2} = \frac{5}{3} \times \frac{5}{2}$$
$$= \frac{25}{6} = 4\frac{1}{6}$$

(2)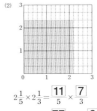
$$2\frac{1}{5} \times 2\frac{1}{3} = \frac{11}{5} \times \frac{7}{3}$$
$$= \frac{77}{15} = 5\frac{2}{15}$$

2 보기와 같은 방법으로 계산하세요.

보기
$$3\frac{3}{7} \times 1\frac{1}{9} = \frac{24}{7} \times \frac{\cancel{10}^{8}}{9} = \frac{80}{21} = 3\frac{17}{21}$$

(1) $2\frac{1}{6} \times 4\frac{1}{2} = \frac{13}{\cancel{6}_2} \times \frac{\cancel{9}^3}{2} = \frac{39}{4} = 9\frac{3}{4}$

(2) $1\frac{7}{9} \times 2\frac{3}{8} = \frac{\cancel{16}^2}{9} \times \frac{19}{\cancel{8}_1} = \frac{38}{9} = 4\frac{2}{9}$

3 계산을 하세요.

(1) $1\frac{5}{7} \times 1\frac{3}{4} = 3$ 　　(2) $1\frac{2}{5} \times 3\frac{2}{3} = 5\frac{2}{15}$

(3) $2\frac{5}{8} \times 1\frac{5}{6} = 4\frac{13}{16}$ 　　(4) $5\frac{1}{2} \times 2\frac{2}{9} = 12\frac{2}{9}$

(5) $\frac{6}{7} \times 1\frac{1}{4} \times 2\frac{4}{5} = 3$ 　　(6) $4\frac{8}{15} \times 5\frac{5}{8} \times \frac{2}{3} = 17$

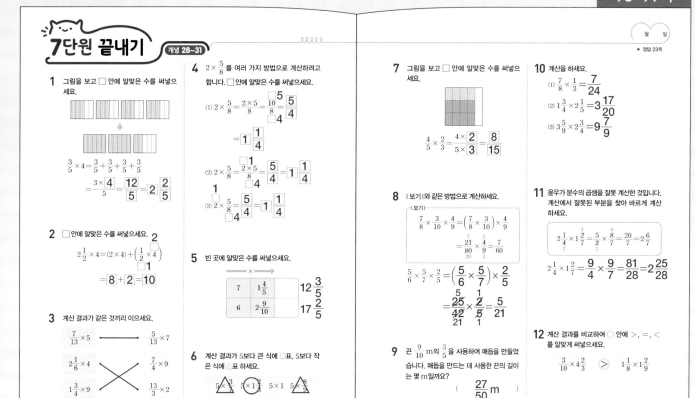

2 대분수를 자연수 부분과 진분수 부분으로 구분한 다음 각각 자연수를 곱하여 계산합니다. 이때 약분이 되면 약분합니다.

3
- $\dfrac{7}{13} \times 5 = \dfrac{7 \times 5}{13} = \dfrac{5 \times 7}{13} = \dfrac{5}{13} \times 7$입니다.
- $2\dfrac{1}{6} \times 4 = \dfrac{13}{\underset{3}{6}} \times \overset{2}{4} = \dfrac{13}{3} \times 2$입니다.
- $1\dfrac{3}{4} = \dfrac{7}{4}$이므로 $1\dfrac{3}{4} \times 9 = \dfrac{7}{4} \times 9$입니다.

4
(1) 자연수와 분자를 곱한 후 약분하였습니다.
(2) 자연수와 분자를 곱하기 전에 약분하였습니다.
(3) (자연수) × (분수)의 식에서 약분하였습니다.

5
- $7 \times 1\dfrac{4}{5} = 7 \times \dfrac{9}{5} = \dfrac{63}{5} = 12\dfrac{3}{5}$
- $6 \times 2\dfrac{9}{10} = \overset{3}{6} \times \dfrac{29}{\underset{5}{10}} = \dfrac{87}{5} = 17\dfrac{2}{5}$

6 곱하는 수가 1보다 크면 값이 5보다 커지고, 곱하는 수가 1과 같으면 값이 그대로 5이고, 곱하는 수가 1보다 작으면 값이 5보다 작아집니다.

7 전체를 15등분 한 것 중 8이므로 $\dfrac{8}{15}$입니다.

8 세 분수의 곱셈을 앞에서부터 두 분수씩 차례로 계산하고, 계산 과정에서 약분이 되면 약분합니다.

9 (매듭을 만드는 데 사용한 끈의 길이)
$= \dfrac{9}{10} \times \dfrac{3}{5} = \dfrac{9 \times 3}{10 \times 5} = \dfrac{27}{50}$ (m)

10
(1) $\dfrac{7}{8} \times \dfrac{1}{3} = \dfrac{7 \times 1}{8 \times 3} = \dfrac{7}{24}$
(2) $1\dfrac{3}{4} \times 2\dfrac{1}{5} = \dfrac{7}{4} \times \dfrac{11}{5} = \dfrac{77}{20} = 3\dfrac{17}{20}$
(3) $3\dfrac{5}{9} \times 2\dfrac{3}{4} = \dfrac{\overset{8}{32}}{9} \times \dfrac{11}{\underset{1}{4}} = \dfrac{88}{9} = 9\dfrac{7}{9}$

11 대분수를 가분수로 나타내기 전에 약분하여 잘못 계산했으므로 바르게 계산할 때에는 대분수를 가분수로 나타낸 다음 약분이 되면 약분하여 계산합니다.

12
- $\dfrac{3}{10} \times 4\dfrac{2}{3} = \dfrac{3}{\underset{5}{10}} \times \dfrac{\overset{7}{14}}{\underset{1}{3}} = \dfrac{7}{5} = 1\dfrac{2}{5}$
- $1\dfrac{1}{8} \times 1\dfrac{2}{9} = \dfrac{9}{8} \times \dfrac{11}{\underset{1}{9}} = \dfrac{11}{8} = 1\dfrac{3}{8}$

➡ $1\dfrac{2}{5}\left(=1\dfrac{16}{40}\right) > 1\dfrac{3}{8}\left(=1\dfrac{15}{40}\right)$

개념 32 (자연수)÷(자연수)

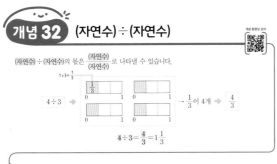

(자연수)÷(자연수)의 몫은 $\dfrac{(자연수)}{(자연수)}$ 로 나타낼 수 있습니다.

$4÷3 ⇒ \dfrac{1}{3}$이 4개 $⇒ \dfrac{4}{3}$

$4÷3=\dfrac{4}{3}=1\dfrac{1}{3}$

그림을 보고 나눗셈의 몫을 분수로 나타내세요.

1

$1÷7=\dfrac{1}{7}$

2
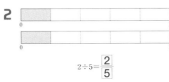

$2÷5=\dfrac{2}{5}$

3
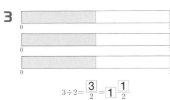

$3÷2=\dfrac{3}{2}=1\dfrac{1}{2}$

102 분수

개념 적용하기

▶ 정답 24쪽

월 일

1 나눗셈을 그림으로 나타내고, 몫을 구하세요.

(1) 예

$3÷4=\dfrac{3}{4}$

(2) 예

$5÷3=\dfrac{5}{3}=1\dfrac{2}{3}$

2 □안에 알맞은 수를 써넣으세요.

(1)
$1÷9=\dfrac{1}{9}$ 이고

$4÷9$는 $\dfrac{1}{9}$이 4개이므로

$4÷9=\dfrac{4}{9}$입니다.

(2)
$1÷6=\dfrac{1}{6}$이고

$7÷6$은 $\dfrac{1}{6}$이 7개이므로

$7÷6=\dfrac{7}{6}=1\dfrac{1}{6}$입니다.

3 나눗셈의 몫을 분수로 나타내세요.

(1) $1÷8=\dfrac{1}{8}$

(2) $2÷7=\dfrac{2}{7}$

(3) $6÷11=\dfrac{6}{11}$

(4) $4÷5=\dfrac{4}{5}$

(5) $9÷4=2\dfrac{1}{4}$

(6) $10÷3=3\dfrac{1}{3}$

8. 분수의 나눗셈 103

개념 33 (진분수)÷(자연수)

방법 1 분수의 분자를 자연수로 나눕니다. ← 분자가 자연수로 나누어떨어지는 경우 편리한 방법

$\dfrac{8}{9}÷2=\dfrac{8÷2}{9}=\dfrac{4}{9}$

방법 2 분수의 곱셈으로 나타내어 계산합니다. ← 분자가 자연수로 나누어떨어지지 않는 경우 편리한 방법

$\dfrac{8}{9}÷2=\dfrac{8}{9}×\dfrac{1}{2}=\dfrac{4}{9}$

÷(자연수)를 ×$\dfrac{1}{(자연수)}$로 바꾸기

그림을 보고 □안에 알맞은 수를 써넣으세요.

1
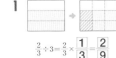

$\dfrac{2}{3}÷3=\dfrac{2}{3}×\dfrac{1}{3}=\dfrac{2}{9}$

2
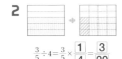

$\dfrac{3}{5}÷4=\dfrac{3}{5}×\dfrac{1}{4}=\dfrac{3}{20}$

3
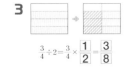

$\dfrac{3}{4}÷2=\dfrac{3}{4}×\dfrac{1}{2}=\dfrac{3}{8}$

4
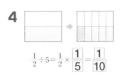

$\dfrac{1}{2}÷5=\dfrac{1}{2}×\dfrac{1}{5}=\dfrac{1}{10}$

5
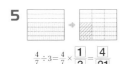

$\dfrac{4}{7}÷3=\dfrac{4}{7}×\dfrac{1}{3}=\dfrac{4}{21}$

6
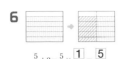

$\dfrac{5}{6}÷2=\dfrac{5}{6}×\dfrac{1}{2}=\dfrac{5}{12}$

104 분수

개념 적용하기

▶ 정답 24쪽

월 일

1 ▮보기와 같이 수직선을 이용하여 나눗셈의 몫을 구하세요.
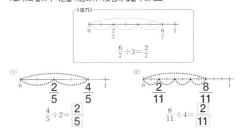

▮보기▮

$\dfrac{6}{7}÷3=\dfrac{2}{7}$

(1)

$\dfrac{4}{5}÷2=\dfrac{2}{5}$

(2)

$\dfrac{8}{11}÷4=\dfrac{2}{11}$

2 관계있는 것끼리 이으세요.
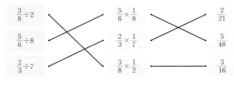

$\dfrac{3}{8}÷2$　　　$\dfrac{5}{6}×\dfrac{1}{8}$　　　$\dfrac{2}{21}$

$\dfrac{5}{6}÷8$　　　$\dfrac{2}{3}×\dfrac{1}{7}$　　　$\dfrac{5}{48}$

$\dfrac{2}{3}÷7$　　　$\dfrac{3}{8}×\dfrac{1}{2}$　　　$\dfrac{3}{16}$

3 계산을 하세요.

(1) $\dfrac{4}{9}÷2=\dfrac{2}{9}$

(2) $\dfrac{10}{11}÷5=\dfrac{2}{11}$

(3) $\dfrac{9}{10}÷3=\dfrac{3}{10}$

(4) $\dfrac{3}{4}÷4=\dfrac{3}{16}$

(5) $\dfrac{2}{7}÷9=\dfrac{2}{63}$

(6) $\dfrac{5}{12}÷6=\dfrac{5}{72}$

8. 분수의 나눗셈 105

개념 34~35

개념 34 (대분수)÷(자연수)

방법 1 대분수를 가분수로 바꾼 다음 분수의 분자를 자연수로 나눕니다.

$$1\frac{4}{5} \div 3 = \frac{9}{5} \div 3 = \frac{9 \div 3}{5} = \frac{3}{5}$$

방법 2 대분수를 가분수로 바꾼 다음 분수의 곱셈으로 나타내어 계산합니다.

$$1\frac{4}{5} \div 3 = \frac{9}{5} \div 3 = \frac{9}{5} \times \frac{1}{3} = \frac{3}{5}$$

•(자연수)를 •$\frac{1}{(자연수)}$로 바꾸기

그림을 보고 □안에 알맞은 수를 써넣으세요.

1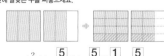

$$1\frac{2}{3} \div 4 = \frac{5}{3} \div 4 = \frac{5}{3} \times \frac{1}{4} = \frac{5}{12}$$

2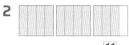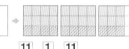

$$2\frac{3}{4} \div 3 = \frac{11}{4} \div 3 = \frac{11}{4} \times \frac{1}{3} = \frac{11}{12}$$

3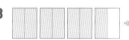

$$3\frac{1}{2} \div 5 = \frac{7}{2} \div 5 = \frac{7}{2} \times \frac{1}{5} = \frac{7}{10}$$

106 분수

개념 적용하기

▶ 정답 25쪽

1 그림을 이용하여 나눗셈의 몫을 구하려고 합니다. □안에 알맞은 수를 써넣으세요.

(1)

$$1\frac{1}{3} \div 2 = \frac{4}{3} \div 2 = \frac{2}{3}$$

(2)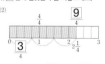

$$2\frac{1}{4} \div 3 = \frac{9}{4} \div 3 = \frac{3}{4}$$

2 $4\frac{1}{6} \div 5$를 2가지 방법으로 계산하려고 합니다. □안에 알맞은 수를 써넣으세요.

(1) $4\frac{1}{6} \div 5 = \frac{25}{6} \div 5 = \frac{25 \div 5}{6} = \frac{5}{6}$

(2) $4\frac{1}{6} \div 5 = \frac{25}{6} \div 5 = \frac{25}{6} \times \frac{1}{5} = \frac{5}{6}$

3 계산을 하세요.

(1) $1\frac{2}{7} \div 3 = \frac{3}{7}$

(2) $3\frac{1}{5} \div 4 = \frac{4}{5}$

(3) $4\frac{3}{8} \div 7 = \frac{5}{8}$

(4) $2\frac{2}{3} \div 9 = \frac{8}{27}$

(5) $5\frac{3}{4} \div 6 = \frac{23}{24}$

(6) $3\frac{5}{9} \div 10 = \frac{16}{45}$

4 빈 곳에 알맞은 수를 써넣으세요.

(1) $1\frac{3}{5}$ ÷2 → $\frac{4}{5}$

(2)  $2\frac{1}{8}$ ÷8 → $\frac{17}{64}$

8. 분수의 나눗셈 107

108~109쪽

개념 35 분모가 같은 (진분수)÷(진분수)

분모가 같은 (진분수)÷(진분수)는 분자끼리 나누어 계산합니다.

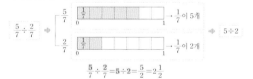

$$\frac{5}{7} \div \frac{2}{7} = 5 \div 2 = \frac{5}{2} = 2\frac{1}{2}$$

그림을 보고 □안에 알맞은 수를 써넣으세요.

1

$\frac{5}{6}$에는 $\frac{1}{6}$이 **5**번 들어갑니다. ➡ $\frac{5}{6} \div \frac{1}{6} = 5$

2

$\frac{8}{9}$에는 $\frac{4}{9}$가 **2**번 들어갑니다. ➡ $\frac{8}{9} \div \frac{4}{9} = 2$

3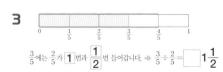

$\frac{3}{5}$에는 $\frac{2}{5}$가 **1**번과 $\frac{1}{2}$번 들어갑니다. ➡ $\frac{3}{5} \div \frac{2}{5} = 1\frac{1}{2}$

108 분수

개념 적용하기

▶ 정답 25쪽

1 나누어지는 수에 나누는 수가 몇 번 들어가는지 그림에 나타내고, □안에 알맞은 수를 써넣으세요.

(1)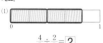

$$\frac{4}{5} \div \frac{2}{5} = 2$$

(2)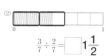

$$\frac{3}{7} \div \frac{2}{7} = 1\frac{1}{2}$$

2 □안에 알맞은 수를 써넣으세요.

(1) $\frac{9}{10}$는 $\frac{1}{10}$이 **9**개이고

$\frac{3}{10}$은 $\frac{1}{10}$이 **3**개이므로

$\frac{9}{10} \div \frac{3}{10} = 9 \div 3 = 3$입니다.

(2) $\frac{7}{8}$은 $\frac{1}{8}$이 **7**개이고

$\frac{5}{8}$는 $\frac{1}{8}$이 **5**개이므로

$\frac{7}{8} \div \frac{5}{8} = 7 \div 5 = 1\frac{2}{5}$입니다.

3 □안에 알맞은 수를 써넣으세요.

(1) $\frac{10}{13} \div \frac{5}{13} = 10 \div 5 = 2$

(2) $\frac{5}{9} \div \frac{2}{9} = 5 \div 2 = \frac{5}{2} = 2\frac{1}{2}$

4 계산을 하세요.

(1) $\frac{3}{4} \div \frac{1}{4} = 3$

(2) $\frac{8}{9} \div \frac{2}{9} = 4$

(3) $\frac{6}{11} \div \frac{3}{11} = 2$

(4) $\frac{5}{7} \div \frac{4}{7} = 1\frac{1}{4}$

(5) $\frac{11}{12} \div \frac{5}{12} = 2\frac{1}{5}$

(6) $\frac{7}{15} \div \frac{13}{15} = \frac{7}{13}$

8. 분수의 나눗셈 109

정답 **25**

개념 36 분모가 다른 (진분수)÷(진분수)

방법1 두 분수를 통분한 다음 분자끼리 나눕니다.
$$\frac{2}{3} \div \frac{3}{5} = \frac{10}{15} \div \frac{9}{15} = 10 \div 9 = \frac{10}{9} = 1\frac{1}{9}$$
통분 / 계산 결과를 대분수로 나타내기

방법2 분수의 곱셈으로 나타내어 계산합니다.
$$\frac{2}{3} \div \frac{3}{5} = \frac{2}{3} \times \frac{5}{3} = \frac{10}{9} = 1\frac{1}{9}$$
나누는 분수의 분모와 분자를 바꾸어 분수의 곱셈으로 나타내기 / 계산 결과를 대분수로 나타내기

□안에 알맞은 수를 써넣으세요.

1 $\frac{4}{7} \div \frac{2}{21} = \frac{12}{21} \div \frac{2}{21} = 12 \div 2 = 6$

2 $\frac{5}{6} \div \frac{3}{7} = \frac{35}{42} \div \frac{18}{42} = 35 \div 18 = \frac{35}{18} = 1\frac{17}{18}$

3 $\frac{2}{3} \div \frac{7}{8} = \frac{2}{3} \times \frac{8}{7} = \frac{16}{21}$

4 $\frac{3}{4} \div \frac{2}{5} = \frac{3}{4} \times \frac{5}{2} = \frac{15}{8} = 1\frac{7}{8}$

5 $\frac{4}{5} \div \frac{5}{9} = \frac{4}{5} \times \frac{9}{5} = \frac{36}{25} = 1\frac{11}{25}$

110 분수

개념 적용하기
▶ 정답 26쪽
월 일

1 그림을 보고 □안에 알맞은 수를 써넣으세요.
(1) $\frac{1}{8}$ · 0 $\frac{1}{4}$ $\frac{2}{4}$ $\frac{3}{4}$ 1
$$\frac{3}{4} \div \frac{1}{8} = 6$$
(2) $\frac{1}{10}$ · 0 $\frac{1}{5}$ $\frac{2}{5}$ $\frac{3}{5}$ $\frac{4}{5}$ 1
$$\frac{2}{5} \div \frac{1}{10} = 4$$

2 보기와 같은 방법으로 계산하세요.
보기
$$\frac{8}{9} \div \frac{5}{6} = \frac{8}{9} \times \frac{6}{5} = \frac{16}{15} = 1\frac{1}{15}$$

(1) $\frac{6}{7} \div \frac{4}{5} = \frac{^3 6}{7} \times \frac{5}{4_2} = \frac{15}{14} = 1\frac{1}{14}$

(2) $\frac{7}{8} \div \frac{3}{10} = \frac{7}{4_8} \times \frac{10^5}{3} = \frac{35}{12} = 2\frac{11}{12}$

(3) $\frac{5}{14} \div \frac{7}{12} = \frac{5}{7_{14}} \times \frac{12^6}{7} = \frac{30}{49}$

3 계산을 하세요.
(1) $\frac{1}{3} \div \frac{3}{4} = \frac{4}{9}$
(2) $\frac{3}{7} \div \frac{5}{8} = \frac{24}{35}$
(3) $\frac{3}{5} \div \frac{7}{13} = 1\frac{4}{35}$
(4) $\frac{7}{9} \div \frac{8}{11} = 1\frac{5}{72}$
(5) $\frac{7}{10} \div \frac{9}{14} = 1\frac{4}{45}$
(6) $\frac{11}{12} \div \frac{3}{8} = 2\frac{4}{9}$

8. 분수의 나눗셈 111

개념 37 (자연수)÷(분수)

방법1 자연수를 분수의 분자로 나눈 값에 분모를 곱합니다. ― 자연수가 분자로 나누어떨어지는 경우 편리한 방법
$$9 \div \frac{3}{4} = (9 \div 3) \times 4 = 3 \times 4 = 12$$

방법2 분수의 곱셈으로 나타내어 계산합니다. ― 자연수가 분자로 나누어떨어지지 않는 경우 편리한 방법
$$9 \div \frac{3}{4} = 9 \times \frac{4}{3} = 12$$
나누는 분수의 분모와 분자를 바꾸어 분수의 곱셈으로 나타내기

□안에 알맞은 수를 써넣으세요.

1 $6 \div \frac{2}{5} = (6 \div 2) \times 5 = 15$

2 $8 \div \frac{4}{5} = (8 \div 4) \times 5 = 10$

3 $14 \div \frac{7}{8} = (14 \div 7) \times 8 = 16$

4 $3 \div \frac{4}{5} = 3 \times \frac{5}{4} = \frac{15}{4} = 3\frac{3}{4}$

5 $5 \div \frac{2}{3} = 5 \times \frac{3}{2} = \frac{15}{2} = 7\frac{1}{2}$

6 $7 \div \frac{5}{6} = 7 \times \frac{6}{5} = \frac{42}{5} = 8\frac{2}{5}$

112 분수

개념 적용하기
▶ 정답 26쪽
월 일

1 $15 \div \frac{3}{5}$ 을 바르게 계산한 식에 ○표 하세요.

$15 \div \frac{3}{5} = (15 \div 5) \times 3 = 9$ ( )
$15 \div \frac{3}{5} = (15 \div 3) \times 5 = 25$ (○)

2 $4 \div \frac{2}{9}$ 를 2가지 방법으로 계산하세요.
방법1 자연수를 분수의 분자로 나눈 값에 분모를 곱하기
$$4 \div \frac{2}{9} = (4 \div 2) \times 9 = 18$$
방법2 분수의 곱셈으로 나타내어 계산하기
$$4 \div \frac{2}{9} = 4 \times \frac{9}{2} = 18$$

3 계산을 하세요.
(1) $6 \div \frac{3}{4} = 8$
(2) $9 \div \frac{3}{8} = 24$
(3) $10 \div \frac{5}{7} = 14$
(4) $12 \div \frac{4}{5} = 15$
(5) $5 \div \frac{6}{11} = 9\frac{1}{6}$
(6) $7 \div \frac{2}{3} = 10\frac{1}{2}$

4 □안에 알맞은 수를 써넣으세요.
(1) 8 →  $\div \frac{2}{7}$ → 28
(2) 3 → 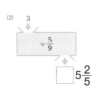 $\div \frac{5}{9}$ → $5\frac{2}{5}$

8. 분수의 나눗셈 113

26 분수

개념 38 (분수)÷(분수)

분수의 나눗셈은 다음과 같이 계산합니다. 이때 대분수가 있으면 가분수로 바꾼 다음 계산합니다.

방법 1 두 분수를 통분한 다음 분자끼리 나눕니다.

$$1\frac{1}{3} \div 1\frac{2}{5} = \frac{4}{3} \div \frac{7}{5} = \frac{20}{15} \div \frac{21}{15} = 20 \div 21 = \frac{20}{21}$$

방법 2 분수의 곱셈으로 나타내어 계산합니다.

$$1\frac{1}{3} \div 1\frac{2}{5} = \frac{4}{3} \div \frac{7}{5} = \frac{4}{3} \times \frac{5}{7} = \frac{20}{21}$$

나누는 분수의 분모와 분자를 바꾸어 분수의 곱셈으로 나타내기

□안에 알맞은 수를 써넣으세요.

1 $\frac{8}{7} \div \frac{6}{5} = \frac{48}{42} \div \frac{35}{42} = 48 \div 35 = \frac{48}{35} = \boxed{1}\frac{13}{35}$

2 $2\frac{3}{5} \div \frac{3}{4} = \frac{13}{5} \div \frac{3}{4} = \frac{52}{20} \div \frac{15}{20} = 52 \div 15 = \frac{52}{15} = \boxed{3}\frac{7}{15}$

3 $3\frac{2}{3} \div \frac{7}{8} = \frac{11}{3} \div \frac{7}{8} = \frac{11}{3} \times \frac{8}{7} = \frac{88}{21} = \boxed{4}\frac{4}{21}$

4 $1\frac{4}{9} \div 3\frac{1}{2} = \frac{13}{9} \div \frac{7}{2} = \frac{13}{9} \times \frac{2}{7} = \frac{26}{63}$

114 분수

월 일

개념 적용하기

▶ 정답 27쪽

1 |보기|와 같은 방법으로 계산하세요.

|보기|
$$2\frac{1}{4} \div \frac{3}{5} = \frac{9}{4} \div \frac{3}{5} = \frac{9}{4} \times \frac{5}{3} = \frac{15}{4} = 3\frac{3}{4}$$

(1) $1\frac{5}{7} \div \frac{2}{9} = \frac{12}{7} \div \frac{2}{9} = \frac{12}{7} \times \frac{9}{2} = \frac{54}{7} = 7\frac{5}{7}$

(2) $3\frac{1}{8} \div \frac{5}{7} = \frac{25}{8} \div \frac{5}{7} = \frac{25}{8} \times \frac{7}{5} = \frac{35}{8} = 4\frac{3}{8}$

2 계산을 하세요.

(1) $\frac{5}{2} \div \frac{2}{3} = 3\frac{3}{4}$

(2) $\frac{7}{6} \div \frac{8}{5} = \frac{35}{48}$

(3) $2\frac{4}{9} \div \frac{5}{6} = 2\frac{14}{15}$

(4) $3\frac{3}{4} \div \frac{5}{7} = 5\frac{1}{4}$

(5) $1\frac{2}{5} \div 5\frac{1}{4} = \frac{4}{15}$

(6) $4\frac{1}{3} \div 1\frac{1}{4} = 2\frac{10}{21}$

3 관계있는 것끼리 이으세요.

$4\frac{3}{8} \div \frac{5}{6}$ $3\frac{2}{9} \div \frac{2}{3}$ $2\frac{4}{5} \div 2\frac{1}{6}$

$1\frac{19}{65}$ $4\frac{5}{6}$ $5\frac{1}{4}$

8. 분수의 나눗셈 115

정답 **27**

8단원 끝내기 개념 32~38

월 일
▶ 정답 28쪽

1 나눗셈을 그림으로 나타내고, 몫을 구하세요.

예)

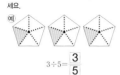

$$3 \div 5 = \boxed{\dfrac{3}{5}}$$

2 나눗셈의 몫을 바르게 나타낸 것을 찾아 ○표 하세요.

$$2 \div 3 = 3 \qquad 8 \div 7 = \dfrac{7}{8} \qquad 5 \div 6 = \dfrac{5}{6}$$

( ) ( ) (○)

3 $\dfrac{6}{7} \div 2$를 2가지 방법으로 계산하려고 합니다. □안에 알맞은 수를 써넣으세요.

(1) $\dfrac{6}{7} \div 2 = \dfrac{6 \div \boxed{2}}{7} = \dfrac{\boxed{3}}{7}$

(2) $\dfrac{6}{7} \div 2 = \dfrac{\overset{3}{\cancel{6}}}{7} \times \dfrac{1}{\underset{1}{\cancel{2}}} = \dfrac{3}{7}$

4 분수의 나눗셈을 잘못 계산한 것입니다. 계산에서 잘못된 부분을 찾아 바르게 계산하세요.

$$1\dfrac{8}{9} \div 2 = 1\dfrac{8 \div 2}{9} = 1\dfrac{4}{9}$$

$$1\dfrac{8}{9} \div 2 = \dfrac{17}{9} \div 2 = \dfrac{17}{9} \times \dfrac{1}{2} = \dfrac{17}{18}$$

5 빈 곳에 알맞은 수를 써넣으세요.

$$2\dfrac{2}{5} \xrightarrow{\div 6} \dfrac{2}{5} \xrightarrow{\div 3} \dfrac{2}{15}$$

6 관계있는 것끼리 이으세요.

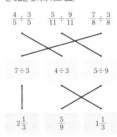

$$\dfrac{4}{5} \div \dfrac{3}{5} \qquad \dfrac{5}{11} \div \dfrac{9}{11} \qquad \dfrac{7}{8} \div \dfrac{3}{8}$$

$$7 \div 3 \qquad 4 \div 3 \qquad 5 \div 9$$

$$2\dfrac{1}{3} \qquad \dfrac{5}{9} \qquad 1\dfrac{1}{3}$$

7 계산 결과를 비교하여 ○ 안에 >, =, <를 알맞게 써넣으세요.

$$\dfrac{8}{13} \div \dfrac{5}{13} \quad = \quad \dfrac{8}{9} \div \dfrac{5}{9}$$

8 □안에 알맞은 수를 써넣으세요.

$$\dfrac{5}{6} \div \dfrac{3}{5} = \dfrac{5}{6} \times \dfrac{\boxed{5}}{3} = \dfrac{25}{18} = \boxed{1\dfrac{7}{18}}$$

9 큰 수를 작은 수로 나눈 몫을 빈 곳에 써넣으세요.

$\dfrac{7}{8}$	$\dfrac{2}{3}$
	$1\dfrac{5}{16}$

10 □안에 알맞은 수를 써넣으세요.

$$\boxed{2} \times \dfrac{6}{27} = \dfrac{4}{9}$$

11 보기와 같은 방법으로 계산하세요.

보기
$$12 \div \dfrac{3}{4} = (12 \div 3) \times 4 = 16$$

$$16 \div \dfrac{4}{7} = (16 \div 4) \times 7 = 28$$

12 계산 결과가 큰 것부터 차례로 기호를 쓰세요.

$$\text{㉠} 9 \div \dfrac{3}{7} \qquad \text{㉡} 8 \div \dfrac{2}{5} \qquad \text{㉢} 10 \div \dfrac{5}{9}$$

(㉠, ㉡, ㉢)

13 계산을 하세요.

(1) $\dfrac{11}{8} \div \dfrac{3}{4} = 1\dfrac{5}{6}$

(2) $2\dfrac{8}{9} \div 1\dfrac{1}{7} = 2\dfrac{19}{36}$

14 호떡 한 개를 만드는 데 밀가루 $\dfrac{3}{8}$ 컵이 필요합니다. 밀가루 $4\dfrac{1}{2}$ 컵으로 만들 수 있는 호떡은 몇 개일까요?

(12개)

---

1 그림 3개를 각각 똑같이 5로 나누어 그중 1씩 색칠하면 $\dfrac{1}{5}$이 3개이므로 $\dfrac{3}{5}$입니다.

2 $2 \div 3 = \dfrac{2}{3}$, $8 \div 7 = \dfrac{8}{7} = 1\dfrac{1}{7}$

4 대분수를 가분수로 바꾸지 않고 분자를 자연수로 나누어 계산이 잘못되었습니다.

5 • $2\dfrac{2}{5} \div 6 = \dfrac{12}{5} \div 6 = \dfrac{12 \div 6}{5} = \dfrac{2}{5}$

• $\dfrac{2}{5} \div 3 = \dfrac{2}{5} \times \dfrac{1}{3} = \dfrac{2}{15}$

6 • $\dfrac{4}{5} \div \dfrac{3}{5} = 4 \div 3 = \dfrac{4}{3} = 1\dfrac{1}{3}$

• $\dfrac{5}{11} \div \dfrac{9}{11} = 5 \div 9 = \dfrac{5}{9}$

• $\dfrac{7}{8} \div \dfrac{3}{8} = 7 \div 3 = \dfrac{7}{3} = 2\dfrac{1}{3}$

7 • $\dfrac{8}{13} \div \dfrac{5}{13} = 8 \div 5 = \dfrac{8}{5} = 1\dfrac{3}{5}$

• $\dfrac{8}{9} \div \dfrac{5}{9} = 8 \div 5 = \dfrac{8}{5} = 1\dfrac{3}{5}$

8 분수의 곱셈으로 나타내어 계산합니다.

9 $\dfrac{7}{8}\left(= \dfrac{21}{24} \right) > \dfrac{2}{3}\left(= \dfrac{16}{24} \right)$이므로

$\dfrac{7}{8} \div \dfrac{2}{3} = \dfrac{7}{8} \times \dfrac{3}{2} = \dfrac{21}{16} = 1\dfrac{5}{16}$입니다.

10 $\square \times \dfrac{6}{27} = \dfrac{4}{9}$

➡ $\square = \dfrac{4}{9} \div \dfrac{6}{27} = \dfrac{12}{27} \div \dfrac{6}{27} = 12 \div 6 = 2$

12 ㉠ $9 \div \dfrac{3}{7} = (9 \div 3) \times 7 = 21$

㉡ $8 \div \dfrac{2}{5} = (8 \div 2) \times 5 = 20$

㉢ $10 \div \dfrac{5}{9} = (10 \div 5) \times 9 = 18$ ➡ ㉠>㉡>㉢

13 (1) $\dfrac{11}{8} \div \dfrac{3}{4} = \dfrac{11}{\underset{2}{\cancel{8}}} \times \dfrac{\overset{1}{\cancel{4}}}{3} = \dfrac{11}{6} = 1\dfrac{5}{6}$

(2) $2\dfrac{8}{9} \div 1\dfrac{1}{7} = \dfrac{26}{9} \div \dfrac{8}{7} = \dfrac{\overset{13}{\cancel{26}}}{9} \times \dfrac{7}{\underset{4}{\cancel{8}}} = \dfrac{91}{36} = 2\dfrac{19}{36}$

14 (만들 수 있는 호떡의 개수)

$= 4\dfrac{1}{2} \div \dfrac{3}{8} = \dfrac{9}{2} \div \dfrac{3}{8} = \dfrac{\overset{3}{\cancel{9}}}{\underset{1}{\cancel{2}}} \times \dfrac{\overset{4}{\cancel{8}}}{\underset{1}{\cancel{3}}} = 12(개)$

학업 성취도 평가 1회

학업 성취도 평가 1회

1. 분수의 기초
~ 3. 분모가 같은 분수의 뺄셈

시간 40분 / 전체 문항 수 25문항 / 맞힌 개수

1 색칠한 부분을 분수로 쓰고 읽으세요.

쓰기	읽기
$\dfrac{3}{4}$	4분의 3

2 주어진 분수에 맞게 색칠한 것을 모두 찾아 ○표 하세요.

$\dfrac{3}{8}$

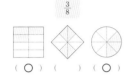

(○) ( ) (○)

3 진분수는 '진', 가분수는 '가', 대분수는 '대'를 쓰세요.

$\dfrac{9}{5}$　$\dfrac{6}{7}$　$\dfrac{4}{4}$　$1\dfrac{1}{6}$

(가) (진) (가) (대)

4 그림을 보고 가분수를 대분수로 나타내세요.

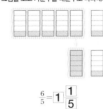

$\dfrac{6}{5}=1\dfrac{1}{5}$

5 분수의 크기를 비교하여 ○ 안에 >, <를 알맞게 써넣으세요.

$\dfrac{5}{7}$ > $\dfrac{3}{7}$

6 □안에 알맞은 수를 써넣으세요.

$\dfrac{2}{9}$는 $\dfrac{1}{9}$이 2개,
$\dfrac{5}{9}$는 $\dfrac{1}{9}$이 5개이므로
$\dfrac{2}{9}+\dfrac{5}{9}$는 $\dfrac{1}{9}$이 모두 7개입니다.
➡ $\dfrac{2}{9}+\dfrac{5}{9}=\dfrac{7}{9}$

7 바르게 계산한 것에 ○표 하세요.

$\dfrac{3}{6}+\dfrac{2}{6}=\dfrac{3+2}{6+6}=\dfrac{5}{12}$ ( )

$\dfrac{3}{6}+\dfrac{2}{6}=\dfrac{3+2}{6}=\dfrac{5}{6}$ (○)

8 |보기|와 같은 방법으로 계산하세요.

|보기|
$2\dfrac{1}{8}+2\dfrac{6}{8}=(2+2)+\left(\dfrac{1}{8}+\dfrac{6}{8}\right)$
$=4+\dfrac{7}{8}=4\dfrac{7}{8}$

$3\dfrac{1}{3}+1\dfrac{1}{3}=(3+1)+\left(\dfrac{1}{3}+\dfrac{1}{3}\right)$
$=4+\dfrac{2}{3}=4\dfrac{2}{3}$

9 수직선을 보고 □ 안에 알맞은 수를 써넣으세요.

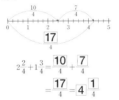

$2\dfrac{2}{4}+1\dfrac{3}{4}=\dfrac{10}{4}+\dfrac{7}{4}$
$=\dfrac{17}{4}=4\dfrac{1}{4}$

10 $\dfrac{4}{5}-\dfrac{2}{5}$ 를 그림으로 나타내어 뺄셈을 하세요.

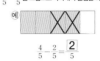

$\dfrac{4}{5}-\dfrac{2}{5}=\dfrac{2}{5}$

11 □ 안에 알맞은 수를 써넣으세요.

$4\dfrac{8}{9}-1\dfrac{4}{9}$
$=(4-1)+\left(\dfrac{8}{9}-\dfrac{4}{9}\right)$
$=3+\dfrac{4}{9}=3\dfrac{4}{9}$

12 계산을 하세요.

$5-3\dfrac{2}{9}=1\dfrac{7}{9}$

13 빈 곳에 알맞은 수를 써넣으세요.

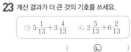

$6\dfrac{3}{7}$ $-1\dfrac{6}{7}$ → $4\dfrac{4}{7}$

120 분수

학업 성취도 평가 1회 121

학업 성취도 평가 1회

▶ 정답 29쪽

14 □ 안에 알맞은 수를 써넣고, 초록색과 파란색으로 그 수만큼 색칠하세요.

예

14의 $\dfrac{3}{7}$은 초록색 구슬입니다. ➡ 6개
14의 $\dfrac{4}{7}$는 파란색 구슬입니다. ➡ 8개

15 분수의 크기를 잘못 비교한 사람은 누구일까요?

지효: $\dfrac{1}{6}$은 $\dfrac{1}{5}$보다 더 커.
서진: $\dfrac{5}{3}$는 $2\dfrac{1}{3}$보다 더 작아.

(지효)

16 빈 곳에 알맞은 수를 써넣으세요.

	+→	
$\dfrac{2}{3}$	$\dfrac{1}{3}$	1
$\dfrac{3}{5}$	$\dfrac{4}{5}$	$1\dfrac{2}{5}$

17 관계있는 것끼리 이으세요.

$1\dfrac{4}{9}+\dfrac{7}{9}$ — $5\dfrac{4}{9}$
$2\dfrac{8}{9}+2\dfrac{5}{9}$ — $4\dfrac{2}{9}$
$3\dfrac{1}{9}+1\dfrac{4}{9}$ — $4\dfrac{5}{9}$

18 두 분수의 차를 구하세요.

$\dfrac{7}{10}$　$\dfrac{4}{10}$

($\dfrac{3}{10}$)

19 계산 결과가 $1\dfrac{5}{11}$인 칸을 모두 찾아 색칠하세요.

$4\dfrac{10}{11}-3\dfrac{5}{11}$	$7\dfrac{7}{11}-5\dfrac{2}{11}$
$6\dfrac{1}{11}-4\dfrac{7}{11}$	$8\dfrac{2}{11}-7\dfrac{8}{11}$

20 가장 큰 분수에 ○표, 가장 작은 분수에 △표 하세요.

$\dfrac{11}{9}$　$1\dfrac{5}{9}$　$\dfrac{15}{9}$（○）　$\triangle$

21 수 카드 중에서 한 장을 골라 그 수를 분모로 하는 단위분수를 만들려고 합니다. 만들 수 있는 가장 큰 단위분수를 구하세요.

3　4　6　9

$\dfrac{1}{3}$

22 가장 큰 분수와 가장 작은 분수의 합을 구하세요.

$\dfrac{5}{7}$　$\dfrac{6}{7}$　$\dfrac{4}{7}$　$\dfrac{3}{7}$

($1\dfrac{2}{7}$)

23 계산 결과가 더 큰 것의 기호를 쓰세요.

㉠ $5\dfrac{1}{13}+3\dfrac{4}{13}$　㉡ $2\dfrac{5}{13}+6\dfrac{2}{13}$

(㉡)

24 냉장고에 오렌지주스는 3 L 있고, 사과주스는 $2\dfrac{2}{5}$ L 있습니다. 오렌지주스는 사과주스보다 몇 L 더 많은가요?

($\dfrac{3}{5}$) L

25 계산 결과가 2와 3 사이인 뺄셈식을 모두 찾아 ○표 하세요.

$5\dfrac{2}{9}-\dfrac{25}{9}$　$4\dfrac{1}{6}-2\dfrac{2}{6}$　$9\dfrac{2}{4}-6\dfrac{3}{4}$
○　　　　　　　　　　　　　○

122 분수

학업 성취도 평가 1회 123

정답 29

1 색칠한 부분은 전체를 똑같이 4로 나눈 것 중의 3이므로 $\dfrac{3}{4}$이라 쓰고, 4분의 3이라고 읽습니다.

2 주어진 분수가 $\dfrac{3}{8}$이므로 전체를 똑같이 8로 나눈 것 중의 3을 색칠한 것을 모두 찾습니다.

3 분자가 분모보다 작으면 진분수, 분자가 분모와 같거나 분모보다 크면 가분수, 자연수와 진분수로 이루어졌으면 대분수입니다.

4 $\dfrac{5}{5}$는 1과 같으므로 $\dfrac{6}{5}=1\dfrac{1}{5}$입니다.

5 분모가 같은 진분수는 분자가 클수록 큰 수입니다.
분자의 크기를 비교하면 5>3이므로 $\dfrac{5}{7}>\dfrac{3}{7}$입니다.

7 분모가 같은 진분수의 덧셈은 분모는 그대로 두고 분자끼리 더해야 합니다.

8 대분수의 덧셈을 자연수 부분끼리 더하고 진분수 부분끼리 더하여 계산합니다.

9 수직선에서 큰 눈금 한 칸이 작은 눈금 4칸으로 나누어져 있으므로 작은 눈금 한 칸은 $\dfrac{1}{4}$을 나타냅니다.
$2\dfrac{2}{4}+1\dfrac{3}{4}$은 $\dfrac{1}{4}$씩 17칸이므로 $\dfrac{17}{4}$이고,
$\dfrac{17}{4}=4\dfrac{1}{4}$입니다.

10 $\dfrac{4}{5}$만큼 색칠한 다음 $\dfrac{2}{5}$만큼 ×표 하면 $\dfrac{2}{5}$가 남습니다.

11 받아내림이 없는 대분수의 뺄셈을 자연수 부분끼리 빼고 진분수 부분끼리 빼어 계산합니다.

12 $5-3\dfrac{2}{9}=4\dfrac{9}{9}-3\dfrac{2}{9}=1\dfrac{7}{9}$

13 $6\dfrac{3}{7}-1\dfrac{6}{7}=5\dfrac{10}{7}-1\dfrac{6}{7}=4\dfrac{4}{7}$

14 14를 똑같이 7묶음으로 나눈 것 중의 3묶음은 6이고, 14를 똑같이 7묶음으로 나눈 것 중의 4묶음은 8입니다. ➡ 초록색 구슬 6개, 파란색 구슬 8개

15 • 지효: 단위분수는 분모가 작을수록 큰 수이므로
$\dfrac{1}{6}$은 $\dfrac{1}{5}$보다 더 작습니다. (×)

• 서진: $\dfrac{5}{3}=1\dfrac{2}{3}$이고 자연수가 클수록 큰 수이므로
$\dfrac{5}{3}\left(=1\dfrac{2}{3}\right)$는 $2\dfrac{1}{3}$보다 더 작습니다. (○)

16 • $\dfrac{2}{3}+\dfrac{1}{3}=\dfrac{2+1}{3}=\dfrac{3}{3}=1$

• $\dfrac{3}{5}+\dfrac{4}{5}=\dfrac{3+4}{5}=\dfrac{7}{5}=1\dfrac{2}{5}$

17 • $1\dfrac{4}{9}+2\dfrac{7}{9}=3+\dfrac{11}{9}=3+1\dfrac{2}{9}=4\dfrac{2}{9}$

• $2\dfrac{8}{9}+2\dfrac{5}{9}=4+\dfrac{13}{9}=4+1\dfrac{4}{9}=5\dfrac{4}{9}$

• $3\dfrac{1}{9}+1\dfrac{4}{9}=4+\dfrac{5}{9}=4\dfrac{5}{9}$

18 $\dfrac{7}{10}-\dfrac{4}{10}=\dfrac{7-4}{10}=\dfrac{3}{10}$

19 • $4\dfrac{10}{11}-3\dfrac{5}{11}=1\dfrac{5}{11}$ • $7\dfrac{7}{11}-5\dfrac{2}{11}=2\dfrac{5}{11}$

• $6\dfrac{1}{11}-4\dfrac{7}{11}=5\dfrac{12}{11}-4\dfrac{7}{11}=1\dfrac{5}{11}$

• $8\dfrac{2}{11}-7\dfrac{8}{11}=7\dfrac{13}{11}-7\dfrac{8}{11}=\dfrac{5}{11}$

20 $\dfrac{15}{9}>1\dfrac{5}{9}\left(=\dfrac{14}{9}\right)>\dfrac{11}{9}>\dfrac{7}{9}$이므로 가장 큰 분수는 $\dfrac{15}{9}$, 가장 작은 분수는 $\dfrac{7}{9}$입니다.

21 분모가 ☐인 단위분수를 $\dfrac{1}{\square}$이라 하면 ☐ 안에 들어갈 수가 작을수록 큰 분수입니다.
수 카드에 적힌 수의 크기를 비교하면 3<4<6<9 이므로 만들 수 있는 가장 큰 단위분수는 $\dfrac{1}{3}$입니다.

22 $\dfrac{6}{7}>\dfrac{5}{7}>\dfrac{4}{7}>\dfrac{3}{7}$

➡ $\dfrac{6}{7}+\dfrac{3}{7}=\dfrac{6+3}{7}=\dfrac{9}{7}=1\dfrac{2}{7}$

23 ㉠ $5\dfrac{1}{13}+3\dfrac{4}{13}=8\dfrac{5}{13}$

㉡ $2\dfrac{5}{13}+6\dfrac{2}{13}=8\dfrac{7}{13}$

➡ $8\dfrac{5}{13}<8\dfrac{7}{13}$이므로 계산 결과가 더 큰 것은 ㉡입니다.

24 (오렌지주스의 양)-(사과주스의 양)
$=3-2\dfrac{2}{5}=2\dfrac{5}{5}-2\dfrac{2}{5}=\dfrac{3}{5}$ (L)

25 • $5\dfrac{2}{9}-\dfrac{25}{9}=\dfrac{47}{9}-\dfrac{25}{9}=\dfrac{22}{9}=2\dfrac{4}{9}$

• $4\dfrac{1}{6}-2\dfrac{2}{6}=3\dfrac{7}{6}-2\dfrac{2}{6}=1\dfrac{5}{6}$

• $9\dfrac{2}{4}-6\dfrac{3}{4}=8\dfrac{6}{4}-6\dfrac{3}{4}=2\dfrac{3}{4}$

학업 성취도 평가 2회

1. 분수의 기초 ~ 8. 분수의 나눗셈

시간 40분 | 전체 문항 수 25문항 | 맞힌 개수

1 색칠한 부분을 분수로 나타내려고 합니다. □ 안에 알맞은 수를 써넣으세요.

색칠한 부분은 전체를 똑같이 $\boxed{6}$ (으)로 나눈 것 중의 $\boxed{5}$ 이므로 $\boxed{\frac{5}{6}}$ 입니다.

2 그림을 보고 □ 안에 알맞은 수를 써넣으세요.

0 5 10 15 20 25(cm)

25 cm의 $\frac{2}{5}$ 는 $\boxed{10}$ cm입니다.

3 두 분수의 합만큼 그림에 색칠하고, □ 안에 알맞은 수를 써넣으세요.

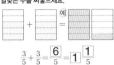

$\frac{3}{5} + \frac{3}{5} = \boxed{\frac{6}{5}} = \boxed{1\frac{1}{5}}$

4 □ 안에 알맞은 수를 써넣으세요.

$1\frac{3}{7} + 2\frac{2}{7}$

$= (\boxed{1} + \boxed{2}) + \left(\frac{\boxed{3}}{7} + \frac{\boxed{2}}{7}\right)$

$= \boxed{3} + \frac{\boxed{5}}{7} = \boxed{3}\frac{\boxed{5}}{7}$

5 수직선을 보고 □ 안에 알맞은 수를 써넣으세요.

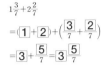

$\frac{7}{9} - \frac{5}{9} = \frac{\boxed{2}}{9}$

6 □ 안에 알맞은 수를 써넣으세요.

2는 $\frac{1}{4}$ 이 $\boxed{8}$ 개,

$1\frac{3}{4}$ 은 $\frac{1}{4}$ 이 $\boxed{7}$ 개이므로

$2 - 1\frac{3}{4}$ 은 $\frac{1}{4}$ 이 $\boxed{1}$ 개입니다.

➡ $2 - 1\frac{3}{4} = \frac{\boxed{1}}{4}$

7 분수만큼 수직선에 표시하고, 크기가 같은 분수를 쓰세요.

크기가 같은 분수는 □ 와/과 □ 입니다.

$\frac{4}{6}$ $\frac{2}{3}$

8 약분한 분수를 모두 쓰세요.

$\frac{20}{28}$ ➡ ($\frac{10}{14}$, $\frac{5}{7}$)

9 두 분수를 통분하여 크기를 비교하세요.

$\left(\frac{4}{5}, \frac{6}{7}\right)$ ➡ ($\frac{28}{35}$, $\frac{30}{35}$)

➡ $\frac{4}{5} \boxed{<} \frac{6}{7}$

10 계산을 하세요.

$2\frac{1}{4} + 5\frac{2}{3} = 7\frac{11}{12}$

11 $4\frac{7}{8} - 2\frac{1}{2}$ 을 2가지 방법으로 계산하세요.

방법 1 자연수 부분끼리 빼고 진분수 부분끼리 빼기

$4\frac{7}{8} - 2\frac{1}{2} = 4\frac{7}{8} - 2\frac{4}{8}$

$= (4-2) + \left(\frac{7}{8} - \frac{4}{8}\right)$

$= 2 + \frac{3}{8} = 2\frac{3}{8}$

방법 2 대분수를 가분수로 나타내어 빼기

$4\frac{7}{8} - 2\frac{1}{2} = \frac{39}{8} - \frac{5}{2}$

$= \frac{39}{8} - \frac{20}{8} = \frac{19}{8} = 2\frac{3}{8}$

12 □ 안에 알맞은 수를 써넣으세요.

$1\frac{5}{9}$ $\times 1\frac{4}{5}$ ➡ $\boxed{2\frac{4}{5}}$

13 그림을 보고 □ 안에 알맞은 수를 써넣으세요.

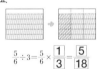

$\frac{5}{6} \div 3 = \frac{5}{6} \times \frac{\boxed{1}}{\boxed{3}} = \frac{\boxed{5}}{\boxed{18}}$

학업 성취도 평가 2회

▶ 정답 31쪽

14 두 분수의 크기를 비교하여 더 큰 분수에 ○표 하고, 더 큰 분수를 가분수로 나타내세요.

$2\frac{5}{8}$ $\boxed{3\frac{3}{8}}$ ➡ $\boxed{\frac{27}{8}}$

15 계산 결과가 다른 하나를 찾아 색칠하세요.

$6\frac{2}{9} - 3\frac{6}{9}$ | $5\frac{8}{9} - 2\frac{3}{9}$ | $4\frac{1}{9} - 1\frac{5}{9}$

16 빈 곳에 알맞은 수를 써넣으세요.

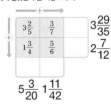

$5\frac{3}{20}$ $1\frac{11}{42}$

17 잘못 계산한 사람은 누구일까요?

하로: $4\frac{1}{2} - 1\frac{6}{7} = 2\frac{9}{14}$

시윤: $7\frac{2}{3} - 3\frac{4}{5} = 4\frac{13}{15}$

(시윤)

18 계산 결과가 같은 것끼리 이으세요.

$\frac{4}{5} \times 3$ —— $\frac{23}{5} \times 6$

$1\frac{1}{3} \times 7$ —— $\frac{4}{3} \times 7$

$2\frac{3}{10} \times 12$ —— $\frac{3}{5} \times 4$

19 자연수는 분수의 몇 배일까요?

18 $\frac{9}{11}$

(22배)

20 계산 결과를 비교하여 ○ 안에 >, =, < 를 알맞게 써넣으세요.

$2\frac{2}{7} + 3\frac{6}{7}$ $\boxed{<}$ $4\frac{5}{7} + 1\frac{4}{7}$

21 소라가 분수의 덧셈을 잘못 계산한 것입니다. 처음 잘못 계산한 부분을 찾아 ○표 하고, 바르게 계산하세요.

$\frac{3}{8} + \frac{2}{5} = \boxed{\frac{3 \times 5}{8 \times 5}} + \frac{2 \times 8}{5 \times 8} = \frac{6}{40} + \frac{16}{40}$

$= \frac{22}{40} = \frac{11}{20}$

$\frac{3}{8} + \frac{2}{5} = \frac{3 \times 5}{8 \times 5} + \frac{2 \times 8}{5 \times 8}$

$= \frac{15}{40} + \frac{16}{40} = \frac{31}{40}$

22 두 가방 무게의 차는 몇 kg일까요?

$\frac{7}{10}$ kg $\frac{1}{4}$ kg

($\frac{9}{20}$ kg)

23 학교 도서관에 있는 전체 책의 $\frac{7}{8}$ 은 아동 도서이고, 그중 $\frac{2}{3}$ 는 동화책입니다. 동화책은 학교 도서관에 있는 전체 책의 얼마인가요?

($\frac{7}{12}$)

24 몫이 자연수인 나눗셈식을 모두 찾아 ○표 하세요.

$\frac{3}{4} \div \frac{9}{20}$ | $\frac{8}{15} \div \frac{2}{15}$ | $\frac{4}{5} \div \frac{2}{25}$

( ) (○) (○)

25 계산 결과가 작은 것부터 차례로 기호를 쓰세요.

㉠ $\frac{5}{3} \div \frac{7}{6}$

㉡ $1\frac{5}{9} \div \frac{7}{10}$

㉢ $2\frac{2}{7} \div 2\frac{5}{6}$

(㉢, ㉠, ㉡)

2 25 cm를 똑같이 5로 나눈 것 중의 2는 10 cm입니다.

3 $\frac{3}{5}+\frac{3}{5}$은 $\frac{1}{5}$이 3+3=6(개)인 $\frac{6}{5}\left(=1\frac{1}{5}\right)$입니다.

5 $\frac{7}{9}-\frac{5}{9}$는 $\frac{1}{9}$씩 2칸이므로 $\frac{2}{9}$입니다.

7 수직선에 표시한 부분의 길이가 같은 분수는 $\frac{4}{6}$와 $\frac{2}{3}$입니다.

8 20과 28의 공약수는 1, 2, 4이므로 분모와 분자를 각각 2, 4로 나눕니다.

$\frac{\overset{10}{20}}{\underset{14}{28}}=\frac{10}{14},\ \frac{\overset{5}{20}}{\underset{7}{28}}=\frac{5}{7}$

9 두 분모의 곱 또는 두 분모의 최소공배수 등을 공통분모로 하여 통분한 다음 크기를 비교합니다.

10 $2\frac{1}{4}+5\frac{2}{3}=2\frac{3}{12}+5\frac{8}{12}=7\frac{11}{12}$

12 $1\frac{5}{9}\times1\frac{4}{5}=\frac{14}{\underset{1}{9}}\times\frac{\overset{1}{9}}{5}=\frac{14}{5}=2\frac{4}{5}$

13 $\frac{5}{6}$를 똑같이 세 부분으로 나누면 한 부분은 $\frac{5}{18}$가 됩니다.

14 두 분수의 자연수의 크기를 비교하면 2<3이므로 $2\frac{5}{8}<3\frac{3}{8}$입니다. $3\frac{3}{8}$에서 3을 $\frac{24}{8}$로 나타내면 $\frac{24}{8}$와 $\frac{3}{8}$이므로 $\frac{1}{8}$이 27개입니다. ➡ $\frac{27}{8}$

15 • $6\frac{2}{9}-3\frac{6}{9}=5\frac{11}{9}-3\frac{6}{9}=2\frac{5}{9}$

• $5\frac{8}{9}-2\frac{3}{9}=3\frac{5}{9}$

• $4\frac{1}{9}-1\frac{5}{9}=3\frac{10}{9}-1\frac{5}{9}=2\frac{5}{9}$

16 • $3\frac{2}{5}+\frac{3}{7}=3\frac{14}{35}+\frac{15}{35}=3\frac{29}{35}$

• $1\frac{3}{4}+\frac{5}{6}=1\frac{9}{12}+\frac{10}{12}=1+\frac{19}{12}$
$=1+1\frac{7}{12}=2\frac{7}{12}$

• $3\frac{2}{5}+1\frac{3}{4}=3\frac{8}{20}+1\frac{15}{20}=4+\frac{23}{20}$
$=4+1\frac{3}{20}=5\frac{3}{20}$

• $\frac{3}{7}+\frac{5}{6}=\frac{18}{42}+\frac{35}{42}=\frac{53}{42}=1\frac{11}{42}$

17 • 하로: $4\frac{1}{2}-1\frac{6}{7}=\frac{9}{2}-\frac{13}{7}=\frac{63}{14}-\frac{26}{14}$
$=\frac{37}{14}=2\frac{9}{14}$ (○)

• 시윤: $7\frac{2}{3}-3\frac{4}{5}=\frac{23}{3}-\frac{19}{5}=\frac{115}{15}-\frac{57}{15}$
$=\frac{58}{15}=3\frac{13}{15}$ (×)

18 • $\frac{4}{5}\times3=\frac{4\times3}{5}=\frac{3\times4}{5}=\frac{3}{5}\times4$입니다.

• $1\frac{1}{3}\times7=\frac{4}{3}\times7$입니다.

• $2\frac{3}{10}\times12=\frac{23}{\underset{5}{10}}\times\overset{6}{12}=\frac{23}{5}\times6$입니다.

19 $18\div\frac{9}{11}=(18\div9)\times11=22$(배)

20 • $2\frac{2}{7}+3\frac{6}{7}=5+\frac{8}{7}=5+1\frac{1}{7}=6\frac{1}{7}$

• $4\frac{5}{7}+1\frac{4}{7}=5+\frac{9}{7}=5+1\frac{2}{7}=6\frac{2}{7}$

➡ $2\frac{2}{7}+3\frac{6}{7}<4\frac{5}{7}+1\frac{4}{7}$

21 분수를 통분할 때에는 분모와 분자에 같은 수를 곱해야 하는데 분모에는 5, 분자에는 2를 곱하여 잘못 계산하였습니다.

22 $\frac{7}{10}\left(=\frac{14}{20}\right)>\frac{1}{4}\left(=\frac{5}{20}\right)$

➡ $\frac{7}{10}-\frac{1}{4}=\frac{14}{20}-\frac{5}{20}=\frac{9}{20}$ (kg)

23 $\frac{7}{\underset{4}{8}}\times\frac{\overset{1}{2}}{3}=\frac{7}{12}$

24 • $\frac{3}{4}\div\frac{9}{20}=\frac{\overset{1}{3}}{\underset{1}{4}}\times\frac{\overset{5}{20}}{\underset{3}{9}}=\frac{5}{3}=1\frac{2}{3}$

• $\frac{8}{15}\div\frac{2}{15}=8\div2=4$

• $\frac{4}{5}\div\frac{2}{25}=\frac{\overset{}{4}}{\underset{1}{5}}\times\frac{\overset{5}{25}}{\underset{1}{2}}=10$

25 ㉠ $\frac{5}{3}\div\frac{7}{6}=\frac{5}{\underset{1}{3}}\times\frac{\overset{2}{6}}{7}=\frac{10}{7}=1\frac{3}{7}$

㉡ $1\frac{5}{9}\div\frac{7}{10}=\frac{\overset{2}{14}}{9}\times\frac{10}{\underset{1}{7}}=\frac{20}{9}=2\frac{2}{9}$

㉢ $2\frac{2}{7}\div2\frac{2}{5}=\frac{16}{7}\div\frac{12}{5}=\frac{16}{7}\times\frac{5}{\underset{3}{12}}=\frac{20}{21}$

➡ ㉢<㉠<㉡

초능력 수학 연산 분수

정답 및
풀이